c'est la vie

LECTURES D'AUJOURD'HUI

c'est la vie

LECTURES D'AUJOURD'HUI

Paul Pimsleur

The Ohio State University

Harcourt, Brace & World, Inc.
New York / Chicago / San Francisco / Atlanta

ACKNOWLEDGMENTS

The editor wishes to thank the following for kind permission to adapt and reprint copyrighted material:

Éditions Gallimard, Paris, for « La journée du Président », from *Idoles, Idoles*, by Jeanne Delais, © Éditions Gallimard 1965.

L'Express, Paris, for « Safaris-dimanches pour les Parisiens », « L'acteur que les Français préfèrent », « La première femme-pilote », « Les Français et le vin », « Le vol de ‹ la Joconde › », « Main gauche ou main droite ? », « La Tour Eiffel » in « Deux monuments célèbres », « Les Français et le sport », « Le ‹ Chunnel › », « L'argent de poche », and « Comment trouver un appartement ».

Le Nouvel Observateur, Paris, for « Quatre espions et une blonde », « Fumez-vous ? », « Les petits pots », « Les femmes sans nom », « Le ‹ Chunnel › », and « Comment trouver un appartement ».

Société Odé, Paris, for « La politesse », « Comment parler à un Français », and « L'amour chez les Américains », from *Savoir-vivre international*.

Constellation, Paris, for « La fille non-mariée de 25 ans — une tragédie ? ».

La Documentation Française, Paris, for « Les souvenirs du dimanche », from *15 jours en France*.

TOP, Paris for « Le Courrier du Cœur », « Carnac », and « Testez votre patience ».

Paris-Match, Paris, for « L'artiste n'a pas de chance », « L'Arc de Triomphe » in « Deux monuments célèbres », and « Le beau dimanche de Chico ».

Monde & Vie, Paris, for « Regardez-vous » and « Les du Pont ».

Chanel, Neuilly-sur-Seine, for « Du parfum pour les hommes » from *le Nouvel Observateur*.

Agence Rapho, Paris, for « Antoine de Saint-Exupéry », from *Marie-France*.

Le Figaro, Paris, for « Les plaisirs du camping », from *le Figaro Littéraire*.

Réalités, Paris, for « Quatre élèves qui n'ont pas réussi au ‹ bachot › ».

France Éditions et Publications, Paris, for « Le Courrier du Cœur », from *Elle*.

Original illustrations on pages 13, 20, 23, 42, 50–53, 81, 89, 117, 126–28 and pictorial glosses by Richard Rosenblum.

Picture credits and copyright acknowledgments on page 185.

COVER:
Photographs on pages 9, 16, 17, 65, 82, 84, 85, 93, 96, 102, 104, 112–14, 137, 140, 148.

ISBN 0–15–505890–8

LIBRARY OF CONGRESS CATALOG CARD NUMBER: 79–110509

PRINTED IN THE UNITED STATES OF AMERICA

To my mother

preface

The purpose of this book is to enable students to read French early—not just stumble and decipher, but really *read,* for fun and for information, as soon as they have acquired a small vocabulary and some elementary grammar.

Magazine articles seem ideal for this purpose, since they are written with a constant concern for holding the reader's interest. The articles in this book originally appeared in popular French magazines, such as *l'Express, Paris-Match* and *Réalités.* They reveal a great deal, either in the lines or between them, about the attitudes, traditions, and ways of thinking of French people today.

Magazine articles are usually beyond the language competence of beginning students, however. For this reason, the selections have been carefully adapted—difficult words and constructions have been simplified, and complex passages modified or dropped entirely—so that a beginner can read them with interest and, gradually, with fluency.

The Introduction explains, in English, how the articles were adapted, how they are graded through the book, and how the exercises help to reinforce the readings. After that, to discourage "language-hopping" and encourage students to think only in French, the body of the book—text, glosses, and exercises—is entirely in French.

The adapted and graded selections should help students to make a transition from reading the contrived passages in their textbooks toward reading normal French. By their subject matter and style of language, which are resolutely contemporary, they should offer students an exciting glimpse of the vigor and diversity of French life today.

Prepared over the course of several years, this book has profited from the help of a number of colleagues and graduate students. I wish to thank them for their contributions, reserving for myself the responsibility for any flaws this work may contain. Alphabetically, they are: Professor Edward Allen, Sharon Coughlin, Walda Cox, Peter Eddy, Charles Hancock, Carroll Hopton,

Josette Kilmer, Robert Lafayette, Josette Meckstroth, Anne Moughon, Professor Ray Ortali, Antoine Spacagna, and Marilyn Troth. I am also grateful to the following sources, which permitted the use of their material: *Constellation*, la Documentation Française, E. I. du Pont de Nemours & Co., *Elle*, *l'Express*, *le Figaro Littéraire*, *Marie-France*, *Monde & Vie*, *le Nouvel Observateur*, *Paris-Match*, *Réalités*, *Servir*, *Société Chanel*, *Société Odé* and *TOP*.

Paul Pimsleur

contents

première partie

1 / La journée du Président — 3

2 / Safaris-dimanches pour les Parisiens — 9

3 / Quatre espions et une blonde — 13

4 / L'acteur que les Français préfèrent — 16

5 / La politesse — 20

6 / Comment parler à un Français — 23

7 / Connaissez-vous La Fayette ? — 26

8 / La première femme-pilote — 30

9 / La fille non-mariée de 25 ans — une tragédie ? — 33

10 / Les souvenirs du dimanche — 37

11 / « Le Courrier du Cœur » — 42

12 / Pas de frigo chez moi ! — 46

13 / Votre horoscope — 50

deuxième partie

14 / L'artiste n'a pas de chance — 58

15 / Les Français et le vin — 60

16 / Le vol de « la Joconde » — 63

17 / Napoléon 69

18 / Regardez-vous... 72

19 / Fumez-vous ? 76

20 / Main gauche ou main droite ? 78

21 / Les petits pots 81

22 / Deux monuments célèbres 84

23 / Les femmes sans nom 89

24 / Du parfum pour les hommes 93

25 / Les du Pont 96

26 / Le beau dimanche de Chico 101

27 / Antoine de Saint-Exupéry 104

28 / Carnac 109

29 / Les Français et le sport 112

30 / L'amour chez les Américains 117

31 / Les plaisirs du camping 122

32 / Testez votre patience 126

33 / Le « Chunnel » 131

34 / Quatre élèves qui n'ont pas réussi au « bachot » 135

35 / L'argent de poche 140

36 / Une journée de la famille Durand 144

37 / Comment trouver un appartement 148

Vocabulaire 153

introduction

When a student begins to read French, he stumbles along painfully for a time, deciphering one word after another, and checking his understanding frequently by translating into English. Gradually, through practice, he picks up speed and confidence, begins to read in thought-groups instead of single words, and has less need of the reassurance of English.

In this often laborious process, both the difficulty of the material and its intrinsic interest are factors in the student's performance. Material that is too difficult forces the student to halt every few words to consult a dictionary or puzzle out a meaning; it reinforces his dependence on English. Material that is dull makes the effort needed to read it seem pointless.

To meet the problem of holding the student's interest, we turned to the liveliest French periodicals—the French equivalents of *Time*, *Life*, and the like—for articles written with a journalistic flair. Although some of the verve may have been lost in simplifying and adapting the selections, we trust that plenty of humor and thought-provoking controversy remain. They are all short (from 65 to 656 words) to match the short attention span of students who must work hard to understand what they read.

As for the difficulty of the adaptations, extreme care has been taken to allow problems to crop up no faster than an elementary student can handle them. Fluency is the main goal. Therefore all obstacles that might hinder the flow of reading have been cleared away or reduced to a minimum. The selections contain only easy and familiar words and structures. The few difficult words that had to be used are strictly rationed and defined briefly in the margin on the line where they appear.

To guide the student's orderly progress in learning to read French, there is a gradation, both of vocabulary and of grammar, in the course of the book. The vocabulary is divided into two levels, and within each level there is a gradation of grammatical structures. This Introduction gives the rationale and plan of this gradation.

Vocabulary

The first level, called *première partie*, contains only words that appear both in the *Français fondamental* (Ministère de l'Éducation Nationale, Paris, 1959) *and* in the textbooks used by the majority of students in the United States. An analysis of the words found in six widely-used elementary textbooks, correlated against the *Français fondamental*, revealed that there are approximately 750 words they have in common. These form the basis for Level 1, and any word in the stories that is not among these 750 is glossed in the margin when it first appears. Of these 750 Level 1 words, 250 are unmistakable cognates with roughly the same meaning in French as in English (*direction, effort* and so on). Thus a student who knows the 500 most common non-cognate French words should, at least in theory, be able to read our Level 1 selections without referring to the vocabulary at the back of the book. Naturally, he can look up any word whose meaning he does not know, or has forgotten, in the end vocabulary, which is a complete list of every word used in the book, in both the texts and the exercises.

The selections in Level 2, or *deuxième partie* make free use of an additional 750 words—the remainder of the *Français fondamental* (premier degré), correlated against the textbooks. Again, about 250 are cognates. The entire book is based, therefore, on a list of about 1500 of the most common French words, of which about a third are readily recognizable cognates.

One effect of this manner of selecting vocabulary is to eliminate the vocabulary biases of individual textbooks. Most beginning texts do not, for example, contain such useful verbs as *nettoyer* and *entourer*, which are found, however, in the *Français fondamental* and in this reader. Instructors can confidently explain to their students that any unglossed word they encounter in reading the stories is an important word to learn and remember.

On occasion, the instructor may observe that a particular thought might have been expressed in a more elegant French style. We ask him at such times to remember the strict limits of vocabulary and structure to which this book is committed.

Glosses

Particular selections, because of their subject matter, sometimes require the use of words that are not on the basic list. Such non-list words are glossed in the margin next to the line where they appear. Their number is strictly limited to a ratio of no more than one glossed word in thirty running words; usually, the ratio is 1 in 40 or even less. The few non-list words that *do* appear are mainly words that the student will need to know at the *next* reading level, thus helping to ensure his orderly progress in learning to read.

Glosses are extremely brief, often consisting of only a picture or a single word. They intend merely to make the meaning clear in that particular context so that the student can go right back to the text without losing the thread of the story. They make no attempt at giving a complete definition.

After a word has been defined once in the margin, it is not glossed again in later selections unless its meaning changes.

With four exceptions the marginal definitions are entirely in French (or in pictures). The exceptions are technical terms that would require lengthy and perhaps misleading explanations unless English were used: *en moyenne* (on the average), *actions* (stocks), *une enquête par sondage* (a poll), and *le pouvoir d'achat* (buying power).

Cognates

A student who is learning to read French must often guess at the meanings of words. He can usually guess easily and accurately about that large class of French words that are cognates of English words. But some words that appear to be cognates actually have very different meanings in the two languages.

Special care has been taken in treating cognates in this reader. At Level 1, the student will meet only cognates that are so nearly identical with English in appearance and meaning that he is most likely to guess them correctly (*riche, parc*). Otherwise, they are glossed in the margin. The furthest the student is expected to go in guessing at Level 1 is the word *engagée* in *Elle a été engagée comme co-pilote.*

At Level 2, cognates further in appearance from English are left un-glossed, to keep pace with the student's growing sophistication in guessing. For example, a word like *un avantage* is not glossed because it is similar to "advantage" and because the context helps guide the student to its meaning. Similarly, the expression *équipée de* appears without explanation in the context *une voiture équipée de...* Certain extended forms are also permitted, such as *une fermeture*, whose meaning can be guessed from *fermer*. The adverbial ending *-ment* is assumed to be familiar at Level 2, but not at Level 1.

Instructors should explain to students at the start that they must expect to meet cognates and to guess their meaning. Interestingly, the average English-speaking person who has never studied French can recognize fully 30 percent of French nouns just from their similarity to English. When one knows a few simple rules (that *-er* is a verb ending, that *-é* often indicates a past participle, and so on) the ability to make correct guesses increases considerably. Here are a few examples of cognate verbs that occur in this reader at Level 2; instructors may wish to use them to show students how they can guess at the meaning of words they have never seen before: *eliminer, assurer, diminuer, augmenter.*

Grammar

The ordering of selections within each level is based largely on grammar, the main consideration being the tenses of verbs. The articles are arranged so that the first few contain only the present and the *passé composé.* The next few add the imperfect tense, the next several the future, and the final ones the conditional. There are only one or two subjunctives in the book, and they are identical with the indicative (e.g., *qu'il donne*). There are few compound tenses other than the *passé composé*, and the pluperfects or conditional perfects that do occur appear only after the corresponding simple tenses have been used.

Here, in summary form, is the order in which the verb tenses appear. Instructors may wish to consult this list in correlating their use of the reader with other classroom activities.

Level 1: Selections 1 to 3 contain only the present and *passé composé.*
Selections 4 to 7 also contain the imperfect (and one pluperfect, in 5).
Selections 8 to 10 also contain the future.
Selections 11 to 13 also contain the conditional.

Level 2: Selections 14 to 21 contain mainly the present and *passé composé.*
Selections 22 to 29 also contain the imperfect (and pluperfect, in 25).
Selections 30 and 31 also contain the future.
Selections 32 and 37 also contain the conditional (and conditional perfect, in 34).

As for other grammatical problems, the adapters included only structures that are appropriate at each stage of reading fluency. It is assumed from the start of the book that the students know the direct, indirect, reflexive, and disjunctive pronouns. The pronouns *y* and *en*, notorious trouble-makers, do not occur until midway through Level 1. Beyond these considerations, the stories are roughly ordered according to the difficulty of the constructions that appear in them.

Length of selections

There are thirty-seven selections in the book, varying in length from 65 to 656 words. Instructors may sometimes wish to choose a selection to fit the amount of time at their disposal; to assist them in doing so, here is a list showing the length of each selection.

SELECTION NUMBER AND TITLE	NUMBER OF WORDS
1 / La journée du Président	241
2 / Safaris-dimanches pour les Parisiens	301
3 / Quatre espions et une blonde	252
4 / L'acteur que les Français préfèrent	219
5 / La politesse	227
6 / Comment parler à un Français	202
7 / Connaissez-vous La Fayette ?	387
8 / La première femme-pilote	162
9 / La fille non-mariée de 25 ans — une tragédie ?	410
10 / Les souvenirs du dimanche	370
11 / « Le Courrier du Cœur »	359
12 / Pas de frigo chez moi !	317
13 / Votre horoscope	439
14 / L'artiste n'a pas de chance	65
15 / Les Français et le vin	156
16 / Le vol de « la Joconde »	621
17 / Napoléon	351
18 / Regardez-vous...	141
19 / Fumez-vous ?	67
20 / Main gauche ou main droite ?	238
21 / Les petits pots	168
22 / Deux monuments célèbres	233, 119
23 / Les femmes sans nom	318
24 / Du parfum pour les hommes	198
25 / Les du Pont	656
26 / Le beau dimanche de Chico	248
27 / Antoine de Saint Exupéry	333
28 / Carnac	275
29 / Les Français et le sport	369
30 / L'amour chez les Américains	607
31 / Les plaisirs du camping	391
32 / Testez votre patience	423
33 / Le « Chunnel »	235
34 / Quatre élèves qui n'ont pas réussi au « bachot »	524
35 / L'argent de poche	407
36 / Une journée de la famille Durand	352
37 / Comment trouver un appartement	473

Exercises

In accordance with our main purpose of fostering reading fluency, the exercises have been kept short, varied, and lively. No single item is drilled to the point of tedium, for we felt that students might lose the enjoyment of reading by doing too many exercises.

Nevertheless, the exercises are sufficient in number to fill the class hour with purposeful activity. Some of them concentrate on vocabulary, some on specific expressions and constructions, and some on comprehension and inference. During the course of the book, the emphasis gradually shifts from the receptive to the productive skills.

Most of the exercises may be done either orally or in writing; but since this reader is intended for beginning students, the exercises should probably be done mainly orally, with writing confined to tightly controlled exercises which do not require more of the beginning student than he can produce. When the exercises are used orally, good teaching practice demands that the whole class be given an opportunity to think of the correct response before an individual student is called on.

In using the exercises, much depends on the instructor's perception of his class's ability, for the exercises can be done in a number of ways, some of which require more knowledge of French than others. We shall indicate some of the possibilities; experienced teachers will be quick to think of others.

Here are the main types of exercises to be found in this reader:

Synonymes and *Antonymes*

These two exercises require the student to find a word or phrase in the text that means the same as, or the opposite of, certain underlined words. For example, this item appears in Selection 1:

Trouvez un synonyme. Il fait une promenade.

The student is expected to say *Il se promène*, because the selection contained the phrase *le général se promène...*

At the instructor's discretion, students may look back at the selection to find the answer, but in most cases their memory should suffice. Page-shuffling wastes time and should be avoided if possible.

Variant 1: For extra speaking practice, the instructor can have students give a longer answer, such as « *Il fait une promenade* » *veut dire la même chose que* « *il se promène* ».

Variant 2: One student asks, *Jacques, peux-tu trouver un synonyme pour* « *il fait une promenade* » ? Another student (Jacques) answers, *Oui,* « *il se promène* » *a le même sens que* « *il fait une promenade* ».

Tournures

There are several *tournure* exercises for each selection; their purpose is to single out particular expressions and constructions for practice. A model is given to get the students started, followed by the exercise items. For example, in Selection 5, the expression *aimer bien* is practiced like this:

Il donne son opinion. → **Il aime bien donner son opinion.**

1. Il voyage en bateau. (Il aime bien voyager en bateau.)
2. Je donne mon opinion. (J'aime bien donner mon opinion.)
3. Elle est prudente. (Elle aime bien être prudente.)
4. Nous mangeons. (Nous aimons bien manger.)
5. Je suis sûr. (J'aime bien être sûr.)

The *tournure* exercises should be used as pattern drills; the instructor gives the stimulus aloud (books closed, or, at most, glanced at when sentences are long) and the whole class or individuals give the response. The instructor should listen not only for the right construction, but also for good pronunciation and natural intonation. For example, the student who answers item 3 may have trouble pronouncing *Elle aime bien être prudente*. The instructor should then practice pronouncing this sentence, first chorally and then with the student who had trouble, before going on to the next sentence.

Adjectifs and Description

In these exercises, the students are asked to decide whether certain words apply to a person in the selection. Following Selection 7, for example, in which the person in question is La Fayette, the students are asked to judge which of these words properly apply to him, according to what they have read: *soldat, Américain, ambassadeur, monarque, révolutionnaire, fromage.* The instructor can decide how complex to make the exercise. He can accept simple answers, such as *Oui, La Fayette était soldat* and *Non, ce n'était pas un Américain,* or he can elicit an amplified answer, and even discussion: *Oui, La Fayette était soldat, c'est-à-dire, officier de l'Armée française. Non, ce n'était pas un Américain; La Fayette était français, mais il a servi la cause de l'indépendance américaine.*

Vrai ou faux ? and Questions

Both these exercises serve to check the students' understanding of the selection they have read. The *Vrai ou faux ?* items call for narrowly controlled answers and hence are easier than the *Questions,* which require greater recall of what was said in the selection. Instructors may wish to do either exercise, or both, depending on their students' proficiency and the time at their disposal. Again, the instructor should control the extent to which students search back in the selection for the correct answer—the less, the better.

One way to perform the *Vrai ou faux?* exercise is to have all the students read the sentence silently, and then to call on one person to say whether it is *vrai* or *faux*. Here is an example from Selection 6: *On peut tutoyer les petits enfants et les animaux*. This statement is true, according to the selection, so the student would say *C'est vrai* and repeat the statement. On the other hand, this one is false: *Avant 1940, les Français tutoyaient plus souvent*. The student might say, *C'est faux; avant 1940, on tutoyait moins souvent*, or something equivalent.

The instructor may use the true sentences for dictation, and the false ones as a controlled composition, marking the former mainly for spelling and the latter mainly for content and grammar.

Turning to the *Questions*, a typical item asks, *Qui est-ce qu'un Français tutoie?* Several students may answer this one, listing various persons to whom one normally says *tu*, as he has learned either from the selection or elsewhere. *On tutoie sa mère ; son père ; ses frères et sœurs ; ses bons amis ; sa femme ;* and so on. The instructor should not allow the answers to become stilted (e.g., *Un Français tutoie sa mère ; Un Français tutoie son père ;* and so on), but rather encourage natural responses, such as.

> Student 1: *En France, on tutoie sa mère.*
> Student 2: *On tutoie aussi son père.*
> Student 3: *Et ses frères et sœurs aussi.*

Like the *Vrai ou faux?*, the *Questions* can be used as a basis for written work, although the difficulty of scoring the written answers must be borne in mind, as they will contain problems of spelling, grammar, and content mixed together.

Starting in Selection 12, the last one or two *Questions* lead away from simple recall of the selection, toward discussion of cultural differences between France and the United States. These should be used with the same care as the *Points de vue* and *Discutons* items described below.

Points de vue and Discutons

These two exercise types are intended to stimulate oral class discussion and to serve as themes for composition. They appear first after Selection 9, and probably ought to be used sparingly until the instructor is quite sure his students are ready to engage in free discussion or to write free compositions. The danger is that students' ideas tend to run far ahead of their French, and in their haste to express themselves by any means, they may employ a good deal of incorrect French.

Used judiciously and guided by the teacher, controversial discussion can be one of the most exciting class activities. In the *Points de vue* and *Discutons* exercises, a deliberate attempt has been made to express extreme opinions, in order to stimulate discussion. In Selection 30, for example, where André Maurois expresses his views on love in America, one of the *Points de vue* statements is *Aujourd'hui, la femme américaine est vraiment l'égale de l'homme.* The object is, of course, for the students to take sides in supporting or attacking this statement.

These, then, are the exercise types that occur throughout the book. Occasionally others are introduced to lend variety and to capitalize on certain features of particular selections. Our suggestions are meant only as indications of some uses that can be made of the exercises. Instructors will find many others, and may, perhaps, wish to communicate the more successful ones to us, so that we may pass them along to others.

première partie

1 / La journée du Président

Le général de Gaulle a été Président de la République française pendant onze ans. Comment ce grand homme a-t-il passé ses journées ? Voici la réponse d'une petite fille française.

Voilà comment j'imagine la journée du général.
— Sept heures : il se lève. Il est seul parce qu'il dort° seul. **dort**

Il se lève

Les quatre dessins ont été faits
par des garçons et des filles de 10 à 16 ans.

— Huit heures : il a lu les journaux. On lui apporte son petit déjeuner, comme à l'hôtel.

— Neuf heures : le général prend son bain° et écoute la radio.

bain

Il lit les journaux

— Dix heures : il va au concert des ministres,° où il jure° beaucoup. On dit qu'il fait cela seulement quand Mme de Gaulle ne l'entend pas.

— Midi : le général regarde la télévision avec ses amis et se met en colère° quand c'est stupide.

— Deux heures : le général ne fait rien.

— Trois heures : le général se promène° avec Madame. Quelqu'un répond pour lui au téléphone, une autre personne fait un résumé des journaux, une autre de la radio, une autre des livres.

— Cinq heures : le général mange un petit quelque chose.

concert... La petite fille veut dire le **conseil** des ministres.
il jure il blasphème

se met en colère

se... marche pour prendre un exercice agréable

Il mange un petit quelque chose

— Six heures : il reçoit le Premier Ministre et lui donne des ordres pendant deux heures. Le général parle. Tout le monde écrit, écoute. On exécute les ordres.

— Huit heures : le général dîne.

— Dix heures : il regarde la télévision.

Il regarde la télévision

— Onze heures : il fait sa prière,° après avoir mis son pyjama.

Le dimanche : le général va à la messe.° Après, il ne fait rien. Quelquefois c'est lui qui parle à la télévision. Alors, Mme de Gaulle le regarde.

fait... demande une grâce à Dieu

cérémonie catholique

[241 MOTS]

Adaptation d'un extrait d'*Idoles, Idoles* de Jeanne Delais.

EXERCICES

Synonymes

Trouvez un synonyme.

Il fait une promenade. → Il se promène.
1. Il blasphème.
2. Il prend son dîner.
3. Il donne la réponse.
4. Il quitte son lit.
5. Il fait une promenade.

Tournures

A. *Suivez le modèle.*

Il donne des ordres. → Il passe son temps à donner des ordres.
1. Il regarde la télévision.
2. Il écoute la radio.
3. Il jure.
4. Il parle aux ministres.
5. Il mange un petit quelque chose.

B. *Trouvez le verbe qui convient.*

Les journaux ? → On les lit.
1. Les livres ?
2. La télévision ?
3. La radio ?

4. Des ordres ?
5. Le dîner ?
6. Le petit déjeuner ?
7. Un bain ?
8. Sa prière ?
9. Un résumé ?

Vrai ou faux ?

Corrigez le sens (la signification) de la phrase, s'il est faux.

La petite fille croit que le Président de la République...

1. s'intéresse à la radio et à la télévision.
2. passe tout son temps avec sa femme.
3. est très catholique.
4. jure souvent.
5. a besoin de beaucoup d'informations.
6. est toujours calme.

Questions

1. A quelle heure est-ce que le général se lève ?
2. Que fait-il après le petit déjeuner ?
3. Qu'est-ce qu'il fait en prenant son bain ?
4. Est-ce qu'il jure quand Mme de Gaulle est là ?
5. Pourquoi se met-il en colère en regardant la télévision ?
6. Que fait le Président à deux heures ?
7. Que font les autres pendant qu'il se promène avec Madame ?
8. A qui le général donne-t-il beaucoup d'ordres ?
9. A quelle heure dîne-t-il ?
10. Qu'est-ce qu'il fait après le dîner ?

2 / Safaris-dimanches
pour les Parisiens

Si un Parisien dit qu'il a vu un lion sur sa voiture, il faut le croire. La première réserve d'animaux africains en France est ouverte aux visiteurs. Elle se trouve près de Paris.

Cette réserve a été créée° par un jeune homme de vingt-quatre ans, Paul de La Panouse, fils d'une famille aristo-cratique. Sa famille habite un château° avec un grand parc, mais ils ne sont pas riches. Alors Paul a eu une idée : faire un zoo dans le parc de leur château. Sa famille lui a donné la permission, et le même été, il a ouvert le zoo. Mais il n'a pas mis les animaux dans des cages ; il les a laissés en semi-liberté dans le parc.

(participe passé de **créer**) faite, fondée

grande maison ; maison d'une famille noble

Ce zoo a eu beaucoup de succès, et Paul s'est demandé, « Pourquoi ne pas progresser de la semi-liberté à la liberté totale ? » Il a proposé à son père, « Faisons une réserve d'animaux africains. » C'est ce qu'ils ont fait.

La réserve est très grande avec beaucoup de place pour les animaux, un parking de deux mille places pour les visiteurs et cinq kilomètres° de route où quinze mille voitures peuvent circuler en même temps. On peut s'arrêter pour photographier, filmer et regarder les quatre cents animaux : des zèbres et des gazelles, des antilopes et des girafes, quatre éléphants, deux rhinocéros et des hyènes. Paul de La Panouse espère que tous ces animaux vivront° ensemble sans trop de difficultés. Les lions ne sont pas avec les autres ; ils sont trop sauvages.

Des employés en Land-Rover cherchent constamment° les gens qui sortent de leur voiture pour mieux regarder les animaux. Ce n'est pas permis, car c'est très dangereux.

Et les petits enfants, aiment-ils les safaris ? Pas du tout. Il faut les laisser à la maison, car ils mettent les animaux sauvages en appétit !°

cinq... un peu plus de trois *miles*

(futur de **vivre**) existeront, habiteront

tout le temps

ils... Les animaux ont faim quand ils voient les petits enfants.

[301 MOTS]   **Adaptation d'un article de *l'Express***

EXERCICES

Définitions

Trouvez le mot qui convient.

1. voyage pour voir des animaux africains :
   _____.

2. endroit où l'on peut voir des animaux exotiques :
   _____.

3. endroit où l'on peut mettre beaucoup de voitures :
   _____.

4. voiture anglaise qui peut circuler sur toutes sortes de terrain :
   _____.

5. grande maison à la campagne :
   _____.

Tournures

A. **Un jeune homme a fondé cette réserve. →**
    Cette réserve a été fondée par un jeune homme.

1. Sa famille a donné la permission.
2. Paul de La Panouse a ouvert le zoo.
3. Les touristes ont regardé les animaux.
4. Les visiteurs ont photographié les lions.
5. Les employés ont libéré les animaux.

B. **Les visiteurs sortent de leur voiture ; ils regardent les animaux. →**
    Les visiteurs sortent de leur voiture pour mieux regarder les animaux.

1. Ils se promènent ; ils photographient les zèbres.
2. Ils vont à la réserve ; ils étudient les girafes.
3. Ils s'arrêtent ; ils voient les éléphants.
4. Les employés vont en Land-Rover ; ils cherchent les gens.
5. On laisse les enfants à la maison ; on les garde contre les animaux.

Transposition

Mettez le passage au présent, de « Alors Paul a eu une idée » (2ᵉ paragraphe) jusqu'à « C'est ce qu'ils ont fait ».

Résumé

Ajoutez les mots qui manquent pour faire un résumé du texte.

Près de Paris se trouve une réserve d'_____ africains. Elle est dans le _____ d'un château. Elle est très grande ; il y a assez de _____ pour tous les animaux. Ils y habitent en _____ totale. Seuls les lions ne sont pas avec les autres, parce qu'ils sont trop _____. Quinze mille voitures peuvent _____ sur les routes en même temps. On peut _____ les animaux, mais il ne faut pas _____ de la voiture. C'est très dangereux, surtout pour les _____.

Questions

1. Où peut-on voir des animaux africains en France ?
2. Qui a fait cette réserve ?
3. Où a-t-il fait le zoo ?
4. A-t-il mis les animaux dans des cages ?
5. Quel changement a-t-on fait plus tard ?
6. Pourquoi peut-on laisser les animaux en liberté totale ?
7. Quelles sortes d'animaux trouve-t-on dans la réserve ?
8. Pourquoi faut-il laisser les petits enfants à la maison ?

3 / Quatre espions°

personnes qui font de
l'espionnage

et une blonde

Pouvez-vous trouver la solution à ce problème ?

Quatre espions sont dans un bar à Tahiti, en compagnie d'une jolie blonde.

Le premier espion explique, pour impressionner la blonde, le cricket qui est un jeu° anglais. Mais elle préfère le deuxième espion, qui lui parle de sa voiture de sport.

(du verbe **jouer**) Le football est un jeu ; le cricket aussi.

Le troisième espion écoute le premier espion avec beaucoup d'attention, parce qu'il ne comprend pas le jeu de cricket.

Le quatrième espion n'est pas content. Il veut vendre au troisième espion sa voiture spéciale, équipée de tous les « gadgets » d'espionnage, mais le troisième ne l'écoute pas.

PROBLÈME

Ces quatre espions sont de quatre nationalités différentes : il y a un Russe, un Américain, un Anglais et un Allemand. Quelle est la nationalité du premier, du deuxième, du troisième, du quatrième ?

N'oubliez pas que l'espion anglais voyage seulement en taxi, que l'espion russe et l'espion américain ont étudié à Oxford et que l'espion russe déteste les blondes.

SOLUTION

Le troisième espion ne connaît pas du tout le cricket, qui est un jeu anglais. Donc, il ne peut pas être anglais. Il n'est ni russe ni américain,° parce que le Russe et l'Américain ont étudié à Oxford et connaissent probablement le cricket. Alors, le troisième espion est allemand.

Le premier est anglais, parce que l'Anglais voyage en taxi... le deuxième et le quatrième ont des voitures.

Le deuxième n'est pas russe, parce qu'il veut impressionner la blonde et le Russe déteste les blondes. Il est donc américain.

Et le quatrième doit être russe.

Êtes-vous d'accord ?°

ni... ni Il n'est ni russe ni américain = Il n'est pas russe et il n'est pas américain.

° Êtes-vous du même avis, de la même opinion ?

[252 MOTS]   Adaptation d'un article du *Nouvel Observateur*

Adjectifs

Donnez le féminin de chacun de ces adjectifs.

espagnol → espagnole

1. anglais   2. américain   3. allemand   4. français   5. russe

Tournures

A.   **Le troisième est allemand. → C'est un Allemand.**

1. Le premier est anglais.
2. Le deuxième est américain.
3. Le quatrième est russe.
4. L'espion est allemand.
5. La blonde est française.

B.   **Il doit être russe ou américain. → Non, il n'est ni russe ni américain.**

1. Il doit être anglais ou allemand.
2. Il doit être français ou russe.
3. Il doit être espagnol ou américain.
4. Il doit être anglais ou russe.
5. Il doit être allemand ou français.

C.   **Le troisième espion ne connaît pas du tout le cricket. (anglais) → Il ne peut pas être anglais.**

1. Le deuxième espion ne connaît pas du tout la vodka. (russe)
2. Le premier espion ne connaît pas du tout le base-ball. (américain)
3. Le quatrième espion ne connaît pas du tout le rugby. (anglais)
4. Le troisième espion ne connaît pas du tout le football. (américain)
5. La blonde ne connaît pas du tout le caviar. (russe)

Questions

1. Où se trouvent les quatre espions ?
2. Quel jeu est-ce que le premier espion explique à la blonde ?
3. Pourquoi lui explique-t-il ce jeu ?
4. Pourquoi préfère-t-elle le deuxième espion ?
5. Qui ne comprend pas le jeu de cricket ?
6. Décrivez la voiture du quatrième espion.
7. De quelles nationalités sont les espions ?
8. Qui voyage seulement en taxi ?
9. Qui a étudié à Oxford ?
10. Qui déteste les blondes ?

Gérard Philipe dans *Les Orgueilleux*

4 / L'acteur
que les Français préfèrent°

(présent de **préférer**)
aiment mieux, ont une
préférence pour

« Quel acteur voulez-vous voir à la télévision ? » Cette
question a été posée par la Télévision française à ses spectateurs pour choisir les futurs films à montrer. La réponse a
été une surprise ; l'acteur le plus aimé des Français est un
homme qui est mort° en 1959 : Gérard Philipe.

mort

Entre 1943 et 1959, Gérard Philipe a joué dans vingt
films, et ce sont ces films-là que les Français continuent à
demander, et que la télévision continue à montrer. A certaines périodes, il y a un « Festival Gérard Philipe » ; on

montre un de ses films chaque soir pendant plus d'une semaine.

Pendant sa vie Gérard Philipe était un acteur de théâtre et de cinéma. Il était très aimé — en France, et aussi dans d'autres pays, où le public le connaissait par ses films. Pour les gens de son temps, il représentait les qualités les plus nobles : masculinité, charme, sensibilité.

Plusieurs années après sa mort, il continue encore à représenter ces qualités, même pour les jeunes, qui ne l'ont pas connu. Gérard Philipe est mort à l'âge de trente-sept ans ; il n'a pas eu le temps de vieillir.° Maintenant la mort a fait de lui une idole : le jeune homme éternel. Un grand écrivain° français a dit de lui : « Il ne laisse derrière° lui que l'image du printemps. »

commencer à être vieux

personne qui écrit des livres
derrière

[219 mots]

Adaptation d'un article de *l'Express*

Les enfants sont **derrière** leurs parents.

Gérard Philipe et
Danielle Darrieux dans
Le Rouge et le noir

Antonymes

Trouvez un antonyme.

Ils ont *donné cette réponse.* → Ils ont posé cette question.

1. *La vie* a fait de lui une idole.
2. Il était *détesté par* les Français.
3. On montre ses films chaque *matin* pendant une semaine.
4. Quelle *actrice* préférez-vous ?
5. La Télévision française a *donné la réponse* à ses spectateurs.

Définitions

Trouvez le mot qui convient.

1. Une personne qui écrit des livres est un _____.
2. Quelqu'un qui joue au théâtre est un _____.
3. Les personnes qui regardent la télévision sont des _____.
4. Quelqu'un qui n'est pas âgé est _____.
5. La saison de mars à mai est le _____.

Adjectifs

Lesquels de ces adjectifs sont applicables à Gérard Philipe ?

aimé, vieux, masculin, sensible, connu, charmant, américain

Tournures

A.   **Il n'a pas vieilli. → Il n'a pas eu le temps de vieillir.**

1. Il n'a pas répondu.
2. Je n'ai pas demandé son nom.
3. Nous n'avons pas regardé ce programme.
4. Gérard Philipe n'a pas continué à jouer.
5. On n'a pas montré le film.

B.　　　　**Est-ce que les Français vont au théâtre ?** →
　　　　　Oui, ils continuent à aller au théâtre.
1. Est-ce que les gens préfèrent cet acteur ?
2. Est-ce que la télévision montre ses films ?
3. Est-ce que cet écrivain écrit de bons livres ?
4. Est-ce que Philipe représente la sensibilité masculine ?
5. Est-ce que Philipe est une idole pour les Français ?

Vrai ou faux ?

Corrigez le sens de la phrase s'il est faux.

1. En France, on demande aux téléspectateurs leur opinion sur les programmes.
2. On n'aime pas montrer de vieux films à la télévision.
3. Gérard Philipe est vieux, mais il continue à jouer dans des films.
4. Philipe n'est pas connu dans d'autres pays.
5. Il a laissé derrière lui l'image de la jeunesse.

Questions

1. Comment sait-on que l'acteur le plus aimé des Français est Gérard Philipe ?
2. Dans combien de films est-ce que Philipe a joué ?
3. Qu'est-ce que c'est qu'un « Festival Gérard Philipe » ?
4. Pourquoi les Français aiment-ils Philipe ?
5. Qu'est-ce qu'un grand écrivain a dit de lui après sa mort ?
6. Est-ce qu'il est connu aux États-Unis ?
7. Est-ce qu'il y a des acteurs américains qui, comme Philipe, sont morts jeunes et n'ont pas été oubliés ?

5 / La politesse°

les bonnes manières ; ce qu'il faut faire en société, et ce qu'il ne faut pas faire

Une dame américaine me parlait de politesse un jour, à bord d'un bateau en route pour la France. Elle disait que la politesse était la même dans presque tous les pays. J'étais très étonné de cette opinion et je n'ai pas oublié le moment où elle m'a dit cela. Nous étions à table. C'était le soir à dîner et nous mangions une bonne soupe, dans la salle à manger.

« Mais madame, permettez-moi de vous dire que votre main° gauche est *sous*° la table. Et que vous prenez votre

main   sous

20

soupe du *bord* de votre cuillère,° comme un enfant. En France, la main gauche reste *sur* la table, et on prend la soupe du *bout* de la cuillère. »

cuillère

L'Américaine a dit qu'elle n'avait jamais remarqué ces différences.

Un autre exemple de la politesse française : ne posez pas de questions personnelles comme : « Quel âge avez-vous ? » « Quel est votre parti politique ? » « Quelle est votre profession ? » ou « Qu'avez-vous fait hier soir ? » On ne demande jamais cela. Mais on peut demander à un Français son opinion. Le Français aime bien donner son opinion personnelle ; ici pas de danger sérieux. Mais il faut être prudent. Ne dites pas : « Êtes-vous communiste ? » Dites : « Que pensez-vous du grand dynamisme de la Russie d'aujourd'hui ? »

En général, ne posez pas une question si vous n'êtes pas sûr que la personne va être contente de répondre.

[227 MOTS]   Adapté du *Savoir-vivre international*

EXERCICES

Synonymes

Trouvez un synonyme.

Je suis *étonné*. → Je suis *surpris*.
1. Elle est *heureuse*.
2. Êtes-vous *certain* ?
3. Le danger n'est pas *grave*.
4. Elle était *étonnée*.
5. Nous étions *sur* un bateau.

Antonymes

Trouvez un antonyme.

La politesse est *la même* dans tous les pays. →
La politesse est *différente* dans tous les pays.

1. La main *droite* reste sur la table.
2. On prend la soupe du *côté* de la cuillère.
3. On met les pieds *sur* la table.
4. *J'avais toujours* remarqué cette différence.
5. Je *me souviens de* tout.

Tournures

A. **Vous êtes en retard.** → **Permettez-moi de vous dire que vous êtes en retard.**

1. Vous êtes jolie.
2. Il est toujours à l'heure.
3. Vous êtes très en retard, madame.
4. Votre enfant est très beau.
5. Je suis content de connaître votre opinion.

B. **Il donne son opinion.** → **Il aime bien donner son opinion.**

1. Il voyage en bateau.
2. Je donne mon opinion.
3. Elle est prudente.
4. Nous mangeons.
5. Je suis sûr.

C. **Je parle beaucoup à table.** → **Je ne parle jamais à table.**

1. Elle voyage souvent en bateau.
2. Pierre me donne souvent son opinion.
3. Elle est toujours contente.
4. Nous sommes toujours contents de partir.
5. La politesse est souvent inutile.

Questions

1. La politesse est-elle la même dans tous les pays ?
2. Quand on est à table en France, où reste la main gauche ?
3. En France, de quelle partie de la cuillère prend-on la soupe ? En Amérique ?
4. Quelle sorte de questions ne faut-il pas poser à un Français ?
5. Qu'est-ce qu'on peut demander à un Français ?
6. Qu'est-ce que la politesse ? (La politesse, c'est...)

6 / Comment parler à un Français

Si un touriste qui voyage en France ne sait pas quand il faut dire « tu » et quand il faut dire « vous », il peut avoir des moments désagréables !° Par exemple, un jeune Américain qui voyageait en France croyait qu'il pouvait tutoyer° tous les gens qu'il trouvait gentils. Beaucoup de Français ne comprenaient pas son intention et n'étaient pas contents de s'entendre dire « tu » par une personne qu'ils ne connaissaient pas bien.

Il est vrai que l'on fait moins de cérémonie aujourd'hui que dans le passé : on tutoie beaucoup plus maintenant.

le contraire d'**agréables**

dire « tu » à

Avant 1940, dans les vieilles familles aristocratiques, un homme ne tutoyait pas toujours sa femme,° presque jamais sa mère et son père !

En général, un Français tutoie les gens qu'il a connus quand il était jeune, les personnes qu'il aime, ou pour qui il a une grande amitié,° ou qu'il connaît très bien, comme les membres de sa famille. Les hommes ou les femmes qui travaillent ensemble° se tutoient souvent ; les soldats du même grade° se tutoient. Mais il est rare qu'un touriste se trouve dans une situation où il peut tutoyer quelqu'un. En général, le touriste ne doit tutoyer personne, excepté un petit enfant — ou un animal !

[202 MOTS] **Adapté du** *Savoir-vivre international*

femme

le sentiment qu'on a pour un ami

les uns avec les autres

soldats... tous les sergents, par exemple

EXERCICES

Antonymes

Trouvez un antonyme.

Un Français tutoie *rarement.* → **Un Français tutoie** *souvent.*

1. Ils travaillent *seuls.*
2. Nous avons eu des expériences *agréables.*
3. On tutoie beaucoup *moins* maintenant.
4. Un touriste doit tutoyer *tout le monde.*
5. Un homme *ne* tutoie *jamais* sa femme.

Tournures

Est-ce qu'on trouve beaucoup de formalité en France ? →
Il y a moins de formalité aujourd'hui que dans le passé.

1. Est-ce qu'on trouve beaucoup d'aristocrates en France?
2. Est-ce qu'on trouve beaucoup de touristes en France ?

3. Est-ce qu'on trouve beaucoup de visiteurs en France ?
4. Est-ce qu'on trouve beaucoup d'animaux en France ?
5. Est-ce qu'on trouve beaucoup de cérémonie en France ?

Vrai ou faux ?

Corrigez le sens de la phrase, s'il est faux.

1. La distinction entre « tu » et « vous » n'existe pas en anglais.
2. Les touristes ne savent pas quand il faut dire « tu » et quand il faut dire « vous ».
3. Si on trouve une personne gentille, on peut la tutoyer.
4. Avant 1940, les Français tutoyaient plus souvent.
5. Maintenant les hommes tutoient leur femme.
6. Il ne faut pas tutoyer les gens qu'on ne connaît pas bien.
7. Un touriste ne doit jamais tutoyer.
8. On peut tutoyer les petits enfants et les animaux.

Questions

1. Est-il important de savoir quand il faut dire « tu » et quand il faut dire « vous » en français ?
2. Est-ce qu'un Français est content de s'entendre dire « tu » par une personne qu'il ne connaît pas bien?
3. Est-ce qu'il y a plus de formalité aujourd'hui que dans le passé, ou moins ?
4. En général, qui est-ce qu'un Français tutoie ?
5. Est-ce que tous les soldats se tutoient ?
6. Qui est-ce qu'un touriste peut tutoyer ?

7 / Connaissez-vous La Fayette?

Aujourd'hui nous l'appelons tout simplement La Fayette, mais il s'appelait Marie Joseph Paul Yves Roch Gilbert du Motier, Marquis de La Fayette.

Il vient d'une très riche famille de la noblesse d'Auvergne. A la mort de ses parents il n'a que treize ans, et il est déjà riche.

La Fayette entre dans la vie militaire en France ; mais en 1776, quand il apprend que la révolution a commencé en Amérique, il décide d'y aller. On lui refuse la permission de quitter le pays. Alors il achète un bateau et il part.

En Amérique il se présente à George Washington et dit qu'il veut l'aider. A l'âge de dix-neuf ans il devient° major-général et il sert honorablement la cause des Américains pendant la guerre d'Indépendance. Après la guerre il accepte de servir d'agent de liaison entre la France et l'Amérique et, plus tard, d'aide à Benjamin Franklin, premier ambassadeur des États-Unis en France.

commence à être

La Fayette est actif aussi pendant la Révolution française de 1789. En tant que° révolutionnaire, il désire une constitution, mais en tant qu'aristocrate, il désire aussi conserver la monarchie, et on ne peut pas avoir les deux. Alors, abandonnant la vie politique, il retourne à la vie militaire.

en... comme

En Belgique, on le met en prison comme prisonnier de guerre. Il y reste cinq ans. C'est Napoléon qui le fait mettre enfin en liberté, non pas parce qu'il l'aime, mais par respect pour sa réputation. Comme il a perdu sa fortune pendant la Révolution, La Fayette a besoin d'argent ; Napoléon lui en accorde° assez pour vivre.

donne

Avant de mourir° en 1834, La Fayette a la satisfaction de voir le triomphe de ses idées : La France a à la fois un monarque, Louis-Philippe, et une constitution.

le contraire de **vivre**

Diplomate, patriote, soldat,° La Fayette était particulièrement aimé des Américains. Les résidents de l'île de Nantucket (dans le Massachusetts) lui ont fait un fromage énorme pour lui montrer leur admiration. Et surtout il a

soldat

reçu la nationalité américaine, on a nommé° « Lafayette »   appelé
des villes et des universités en son honneur,° et sa statue se   en... pour lui
trouve dans beaucoup de villes américaines.

    Les Français lui ont aussi rendu honneur, mais il n'a
jamais été aussi aimé et respecté que dans son deuxième
pays, les États-Unis d'Amérique, qu'il a aidé à conquérir°   gagner
son indépendance.

[387 MOTS]

EXERCICES

Synonymes

Trouvez un synonyme.

Il *désire* l'aider. → Il *veut* l'aider.

1. Il préfère la vie *des soldats.*
2. Il vient d'une famille de *l'aristocratie.*
3. Il a perdu *ses richesses.*
4. Napoléon lui en *accorde* assez pour vivre.
5. Il *sort du* pays.

Tournures

A.   **Les Américains aiment La Fayette. →**
    La Fayette est très aimé des Américains.

1. Les étudiants aiment ce professeur.
2. Les femmes aiment cet acteur.
3. Les Français aiment Napoléon.
4. Les Américains aiment La Fayette.
5. Les vieilles dames aiment ce bel enfant.

B.   **Il n'avait que treize ans et il était riche. → A treize ans, il est devenu riche.**

1. Il n'avait que dix-neuf ans et il était major-général.
2. Il n'avait que vingt ans et il était agent de liaison.

3. Il n'avait que trente ans et il était diplomate.
4. Il n'avait que quarante ans et il était roi.
5. Il n'avait que treize ans et il était soldat.

Description

Lesquels de ces mots servent à décrire La Fayette ?

soldat, Américain, ambassadeur, monarque, révolutionnaire, fromage

Vrai ou faux ?

Corrigez le sens de la phrase, s'il est faux.

1. La Fayette a un nom ordinaire.
2. Il devient soldat en France.
3. On lui donne la permission de quitter la France.
4. Il vient en Amérique dans son bateau.
5. Il a quarante ans quand il se présente à George Washington.
6. Après la guerre d'Indépendance il continue à aider les Américains.
7. Pendant la Révolution française de 1789, La Fayette ne fait rien.
8. Il est difficile d'être à la fois aristocrate et révolutionnaire.
9. Avant de mourir, La Fayette a l'honneur de recevoir la nationalité américaine.
10. La Fayette est très respecté en France ; sa statue se trouve dans beaucoup de villes françaises.

Questions

1. De quelle région de la France La Fayette vient-il ?
2. Quel âge a-t-il à la mort de ses parents ?
3. Quelle profession choisit-il ?
4. Pourquoi veut-il venir en Amérique ?
5. Que fait-il quand on lui refuse la permission de quitter la France ?
6. A qui se présente-t-il quand il arrive en Amérique ?
7. Qu'est-ce qu'il fait pour servir les États-Unis après la guerre ?
8. En tant que révolutionnaire, que désire-t-il pour la France ? En tant qu'aristocrate ?
9. Est-ce qu'il voit triompher ses idées ?
10. Comment perd-il sa fortune ?
11. Qui lui donne assez d'argent pour vivre ?
12. Quels honneurs a-t-il reçus des Américains ?
13. Pourquoi est-il aimé des Américains ?

8 / La première femme-pilote

En France, beaucoup de femmes travaillent. Mais par tradition certaines professions sont réservées exclusivement aux hommes. Voici comment la presse française a annoncé la première femme-pilote.

Paris, le 20 octobre —

La C^{ie °} française d'aviation Air-Inter a engagé Jacqueline Dubut, vingt-sept ans, comme co-pilote. Elle commencera son service à la fin du mois de janvier, sur la ligne Paris-Strasbourg.° C'est la première fois qu'une femme a été engagée comme co-pilote sur une ligne française régulière.

compagnie

ligne...

Mlle Dubut, qui est ingénieur en même temps que pilote, a fait dix ans d'études avant de pouvoir enfin devenir pilote professionnel.

Bientôt, la France n'aura pas assez de pilotes. La Compagnie Air France en emploie plus de cinq cents par exemple. Ce besoin rendra probablement plus facile l'entrée des femmes dans cette profession. C'est Mlle Dubut qui a donné l'exemple.

Entre Mlle Dubut et la Cie Air-Inter, une décision importante reste à prendre : quel uniforme portera-t-elle, une jupe ou un pantalon ?

Pour voir Mlle Dubut dans son uniforme de pilote, tournez la page.

[162 MOTS]   Adaptation d'un article de *l'Express*

EXERCICES

Connaissance des mots

Trouvez l'expression qui convient.

1. Une personne qui conduit un avion est un _____.
2. Dans « Cie Air-Inter », l'abbréviation Cie signifie _____.
3. Le contraire de « au début du mois » est _____.
4. Veux-tu _____ une décision ?
5. Quel verbe veut dire « donner du travail à » ?

Tournures

A.   **Mlle Dubut a donné l'exemple.** → **C'est Mlle Dubut qui a donné l'exemple.**

1. A Paris on a annoncé la première femme-pilote.
2. La tradition réserve cette profession aux hommes.
3. La Cie Air-Inter a engagé Mlle Dubut.
4. Une femme de vingt-sept ans est la première femme-pilote.
5. Elle sera le co-pilote.

B. **Elle est ingénieur et pilote.** → **Elle est ingénieur en même temps que pilote.**

1. Mon père est homme d'affaires et artiste.
2. André Malraux était ministre et écrivain.
3. Raphael était peintre et architecte.
4. Il est président et premier ministre.
5. Elle est ingénieur et pilote.

Questions

1. Comment s'appelle la compagnie d'aviation qui a engagé Mlle Dubut ?
2. Sur quelle ligne commence-t-elle son service ?
3. A-t-on déjà engagé une femme comme co-pilote sur une ligne régulière ?
4. Pendant combien de temps Mlle Dubut a-t-elle étudié avant de devenir pilote ?
5. Pour quelle raison y aura-t-il probablement plus de femmes-pilotes à l'avenir ?

9 / La fille non-mariée° de 25 ans —

qui n'est pas mariée

une tragédie?

Pour Danielle, ce mois de novembre est un mauvais moment à passer. Pourquoi ? Elle n'est pas malade.° Elle a un petit appartement qu'elle adore arranger elle-même. Elle fait du bon travail ; son employeur est content d'elle. Alors quel problème peut-elle avoir ?

Elle... Elle va bien.

Danielle a vingt-cinq ans. Elle est blonde ; elle a les yeux bleus ; elle est assez jolie. Mais elle a vingt-cinq ans et elle n'est pas mariée.

Le 25 novembre, c'est la fête de la Sainte-Catherine. Sainte Catherine est la patronne des jeunes filles, et dans toute la France, les filles qui ont vingt-cinq ans et qui ne sont pas mariées portent, ce jour-là, un beau chapeau° spécial. La légende dit que celles qui portent un de ces chapeaux trouveront un mari dans l'année à venir.

chapeau

Cette fois, c'est Danielle qui est la « catherinette » dans son bureau. On va lui faire un beau chapeau. Il y aura du champagne et on dansera. Les gens avec qui elle travaille lui feront des compliments ce jour-là. Elle sait déjà ce qu'ils diront : tu es si gentille,° et tu n'es pas encore mariée ; espérons que tu trouveras bientôt un mari.

agréable

— Est-ce un si grand crime de ne pas avoir de mari à vingt-cinq ans ? se demande Danielle. Est-ce que la société a raison de me dire « Attention, mademoiselle, vous avez vingt-cinq ans ! Dépêchez-vous donc° si vous ne voulez pas être vieille fille. » Mais vingt-cinq ans, ce n'est pas vieux. J'ai tout l'avenir° devant moi ! Les garçons ont de la chance... on les laisse tranquilles. Ils peuvent se marier à trente ans s'ils veulent, ou à quarante, ou pas du tout.

Danielle a raison. « Coiffer la Sainte-Catherine » (porter le chapeau spécial qui veut dire qu'elle a vingt-cinq ans sans être mariée) n'est plus une tragédie dans la vie d'une jeune fille, car le mariage n'est plus aujourd'hui sa seule possibilité. Les jeunes filles reçoivent une bonne éducation ; elles travaillent avec les hommes, et elles ont souvent les mêmes responsabilités que les hommes. Beaucoup de jeunes

Dépêchez-vous... Allez plus vite !

futur

femmes ne veulent pas se marier trop jeunes. Elles préfèrent connaître, au moins pendant quelques années, la vie indépendante, avec ses bons et ses mauvais côtés.

Et puis, quand elles voudront se marier, elles auront un avantage certain : dans la partie de la population française en âge de se marier, il y a plus de garçons que de filles !

[410 MOTS]   Adaptation d'un article de *Constellation*

EXERCICES

Tournures

A.   **L'employeur de Danielle → Son employeur est content d'elle.**

1. Le professeur de Suzanne
2. La mère de Jean
3. Les amis de Danielle
4. Le mari de Claudette
5. La femme de Georges

B.   **On va faire un beau chapeau pour Danielle. →
On va lui faire un beau chapeau.**

1. On va faire des compliments à Danielle.
2. On va donner une bonne éducation à Georges.
3. On va donner des responsabilités à Pierre.
4. On va trouver un petit appartement pour Claudette.
5. On va faire un beau chapeau pour Annette.

C.   **Comparez le nombre de garçons et de filles. →
Il y a plus de garçons que de filles.**

1. Comparez le nombre de jeunes et de vieux.
2. Comparez le nombre de bons et de mauvais côtés.
3. Comparez le nombre d'étudiants et de professeurs.
4. Comparez le nombre d'employés et d'employeurs.
5. Comparez le nombre d'hommes et de femmes.

Adjectifs

Quels adjectifs servent à décrire Danielle ? Elle est...

blonde, jolie, malade, mariée, vieille, raisonnable, indépendante

Vrai ou faux ?

Corrigez le sens de la phrase, s'il est faux.

1. Danielle travaille dans un bureau.
2. Elle ne plaît pas à son employeur.
3. Elle a trente ans et elle n'est pas encore mariée.
4. A la fête de la Sainte-Catherine, elle doit porter un costume spécial.
5. Elle aime cette fête où elle est la « catherinette ».
6. Tout le monde lui fera des compliments ce jour-là.
7. Danielle pense qu'elle doit se dépêcher de se marier.
8. Elle désire connaître la vie indépendante pendant quelque temps.
9. Une jeune fille peut difficilement se marier en France, parce qu'il n'y a pas assez d'hommes.

Questions

1. Qui est sainte Catherine ?
2. Qui porte le chapeau spécial à la fête de la Sainte-Catherine ?
3. Qu'est-ce que la légende dit des jeunes filles qui « coiffent la Sainte-Catherine » ?
4. Comment est Danielle ? Décrivez-la.
5. Pourquoi Danielle est-elle contente de sa vie ?
6. Est-ce que Danielle est contente d'être la « catherinette » de son bureau ?
7. Que feront les gens de son bureau le 25 novembre ?
8. Pourquoi Danielle ne veut-elle pas se marier tout de suite ?
9. Quand elle voudra se marier, quel avantage aura-t-elle ?

Points de vue

A discuter oralement ou par écrit.

1. Si une jeune fille n'est pas mariée à vingt-cinq ans, elle restera probablement « vieille fille » et ne se mariera jamais.
2. Une fille doit se marier très jeune... et un garçon aussi.

10 / Les souvenirs° du dimanche

images conservées dans la mémoire

Le dimanche est un jour « pas comme les autres » en France, surtout quand on est enfant. C'est avant tout un jour qu'on passe en famille. C'est souvent le seul jour libre pour le père, et les souvenirs que beaucoup de Français gardent° de leur père sont surtout des souvenirs de dimanche.

ont

Quels souvenirs ? Demandez à un Français ce que le mot « dimanche » lui rappelle ; il vous racontera les dimanches de son enfance.°

période où l'on est enfant

C'est le jour où l'on se levait plus tard que les autres jours de la semaine. Et où l'on s'habillait mieux. Les cloches de l'église° sonnaient, et de vieilles dames habillées de noir s'arrêtaient pour parler avec d'autres vieilles, leurs amies. Les habitants des grandes villes allaient pique-niquer à la campagne ; ceux des villages venaient à Paris pour monter à la Tour Eiffel ou visiter les monuments historiques.

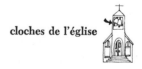

cloches de l'église

D'autres scènes : Un père promène° « madame et bébé » dans les jardins et les zoos. Une autre famille va au cinéma voir un film « pour tous ». Après ils boivent un soda ensemble.

fait une promenade avec

Le dimanche, c'est le jour où l'on visite le Louvre, où l'on va à Orly (l'aéroport de Paris) regarder les avions, où l'on regarde à la télévision les matches de football ou de rugby.

C'est aussi le jour où l'on vote.

Plus tard, quand on sort de l'enfance, on ne veut plus rester en famille le dimanche. Les adolescents veulent être entre eux. Alors on s'inscrit° dans une association sportive, chez les scouts ou aux Jeunesses Musicales de France.°

devient membre

Jeunesses... association pour l'initiation des jeunes à la musique

Quel contraste avec les vieux ! Les vieux cherchent très peu à s'amuser le dimanche. Ils restent assis dans les jardins publics pendant des heures. S'ils ont un petit jardin à eux, ils y travaillent en silence.

Et comment oublier les déjeuners du dimanche, ces longues heures passées à table ? Deux heures, c'était le minimum pour un vrai repas de famille le dimanche. C'est là qu'on s'amusait avec les grands-parents, les oncles et les tantes, les cousins et les cousines.

Le soir, on entendait toujours la même question : « Et tes devoirs... ? » Alors on finissait la soirée° dans sa chambre, entre un dictionnaire et une table de logarithmes. Encore un dimanche de passé ! Encore des souvenirs !

le soir

[370 mots]

Adaptation d'un chapitre écrit par Évelyne Sullerot dans *15 jours en France*.

EXERCICES

Où ?

Répondez à la question.

Où est-ce qu'on voit des films ? → On voit des films au cinéma.

1. Où est-ce qu'on peut voir beaucoup d'avions ?
2. Où est-ce qu'on regarde les matches sportifs ?
3. Où est-ce qu'on pique-nique ?

4. Où est-ce que les vieux restent assis pendant des heures ?
5. Où est-ce qu'on peut visiter la Tour Eiffel et les monuments historiques ?
6. Où est-ce qu'on peut voir de beaux tableaux ?

Tournures

A.   *Mettez les phrases à l'imparfait.*

On s'amuse bien le dimanche. → On s'amusait bien le dimanche.

1. On se lève plus tard.
2. Tout le monde s'habille mieux ce jour-là.
3. Les vieilles dames s'arrêtent pour parler à leurs amies.
4. Les familles se promènent dans les jardins.
5. Je vous raconte mes souvenirs.

B.   **Le dimanche on visite le Louvre. →**
C'est le jour où l'on visite le Louvre.

1. Le dimanche on se promène en famille.
2. Le dimanche on va au cinéma voir des films.
3. Le dimanche on regarde les matches de football à la télévision.
4. Le dimanche on va à Orly regarder les avions.
5. Le dimanche on vote.

Vrai ou faux?

Corrigez le sens de la phrase, s'il est faux.

1. En France, le dimanche est un jour comme les autres.
2. C'est un jour spécial pour les enfants parce que leur père est à la maison.
3. On se lève tôt parce qu'il y a beaucoup de choses à faire.
4. On porte de plus jolis vêtements le dimanche.
5. Très souvent les gens qui habitent en ville vont à la campagne, mais ceux des villages ne viennent pas en ville.
6. Les adolescents préfèrent rester en famille le dimanche.
7. Les vieilles aiment être entre elles.
8. Les jeunes cherchent très peu à s'amuser.
9. Il y a plusieurs associations de jeunes gens.
10. Si l'on aime la musique, on peut s'inscrire à une association sportive.
11. On passe peu de temps à table.

Questions

1. Pourquoi est-ce que les souvenirs que beaucoup de Français gardent de leur père sont surtout des souvenirs de dimanche ?
2. Que font les vieux le dimanche ?

3. Que font les adolescents ?
4. Si l'on reste à la maison, qu'est-ce qu'on peut faire ?
5. Comment s'amusent les gens des villages ?
6. Où peuvent-ils aller regarder les avions ?
7. Pourquoi les habitants des grandes villes vont-ils à la campagne ?
8. Quel jour est-ce qu'on vote en France ? En Amérique ?
9. Qu'est-ce qu'on peut faire en famille le dimanche ?
10. Que font les enfants le dimanche soir ?

Composition

Qu'est-ce que vous aimez faire le dimanche ? Faites un petit paragraphe de deux ou trois phrases. Utilisez des expressions comme « Le matin, j'aime... », « L'après-midi, on... », « Le soir, je... ».

aller au cinéma
rendre visite à des amis
travailler dans le jardin
visiter le zoo
regarder la télévision
se lever tard

aller à l'église
faire les devoirs
manger beaucoup
pique-niquer à la campagne
visiter le musée
aller à l'aéroport

11 / « Le Courrier du Cœur »

On écoute toujours avec intérêt les problèmes des autres. Dans les journaux américains, on aime lire les lettres écrites à Ann Landers et les conseils qu'elle donne. En France, ces lettres s'appellent « le Courrier du Cœur », et les jeunes Français écrivent à Marcelle Ségal, de la revue *Elle*, ou à Françoise Lalo, de la revue *TOP*. En général, les jeunes filles écrivent plus souvent que les garçons. Mais voici la lettre d'un garçon qui a besoin de conseils.

Chère Marcelle Ségal,

J'ai dix-sept ans et « elle », la jeune fille que j'aime, a seize ans. Quand nous sommes seuls, tout va bien. Mais

quand son amie Jacqueline arrive, elle ne s'occupe° plus   fait attention à
de moi, elle ne parle qu'avec son amie. Plus tard, elle
regrette son erreur et me demande pardon. Mais le lende-
main° elle fait la même chose. Qu'est-ce que je dois faire ?   le... le jour après
Je l'aime et elle m'aime.

Malheureux

Voici la réponse de Marcelle Ségal :

*La prochaine fois que cette amie Jacqueline arrive, parlez
avec elle, flirtez avec elle, occupez-vous d'elle. Et racontez-
moi ce qui arrive.*

Voici la lettre qu'une jeune fille a écrite à Françoise Lalo.

Chère Françoise,
     J'ai dix-sept ans et je connais un garçon de dix-neuf ans.
Je suis sortie avec lui deux ou trois fois, mais il a rompu
avec moi.° Il l'a fait parce qu'il a seulement de l'amitié   a... s'est arrêté de me voir, de me parler
pour moi et pas plus. Moi, j'ai plus que de l'amitié pour lui.
Maintenant, il est froid avec moi, il ne me parle plus... peut-
être parce qu'il ne veut pas me faire de la peine !° J'aime-   me... me rendre mal-heureuse
rais beaucoup l'avoir pour ami, comme avant. Est-ce qu'une
discussion entre nous peut arranger les choses ? Je le crois,
mais je suis trop timide pour lui parler la première.

Marlène

Françoise Lalo répond :

*Ce garçon a rompu avec vous parce que vos sentiments
sont trop forts.° Il a de l'amitié pour vous, mais vous*   sont... ont trop de force
*l'aimez un peu, n'est-ce pas ? Mais si vous avez décidé
maintenant d'avoir seulement de l'amitié pour lui, pourquoi
ne le lui dites-vous pas ? Expliquez-lui que vous regrettez
d'avoir perdu° son amitié. Parlez-lui sans sentimentalité, et*   (participe passé de **perdre**) le contraire de **trouvé**
il voudra sûrement être votre ami comme avant.

[359 MOTS]

Antonymes

Trouvez un antonyme

**Je *déteste* lire « le Courrier du Cœur ». →
J'*adore* lire « le Courrier du Cœur ».**

1. Françoise Lalo *lit* beaucoup de lettres.
2. J'ai *perdu* votre journal.
3. Cette jeune fille est trop *audacieuse*.
4. Elle est arrivée plus *tôt* que moi.
5. Parlez-lui *avec* sentimentalité.

Tournures

A.   **La mère, les enfants → La mère s'occupe des enfants.**

1. Le dentiste, les dents
2. Françoise Lalo, le courrier du cœur
3. Le garçon, son amie
4. Le pilote, l'avion
5. Les jeunes filles, les garçons

B.   **Pourquoi ne le lui dites-vous pas ? → Dites-le-lui.**

1. Pourquoi ne le lui expliquez-vous pas ?
2. Pourquoi ne le lui racontez-vous pas ?
3. Pourquoi ne le lui donnez-vous pas ?
4. Pourquoi ne le lui demandez-vous pas ?
5. Pourquoi ne le lui montrez-vous pas ?

C.   **Les jeunes filles écrivent des lettres. →
Les jeunes filles écrivent plus de lettres que les garçons.**

1. Les jeunes filles posent des questions.
2. Les jeunes filles demandent des conseils.
3. Les jeunes filles ont des problèmes.
4. Les jeunes filles reçoivent des réponses.
5. Les jeunes filles voient des films.

Vrai ou faux ?

Corrigez le sens de la phrase, s'il est faux.

1. En France, si l'on a un problème sentimental, on peut demander des conseils à Françoise Lalo ou à Marcelle Ségal.

2. On peut lire les réponses de Mlles Lalo et Ségal dans les journaux.
3. L'amie du garçon malheureux s'appelle Jacqueline.
4. Le garçon est malheureux parce que son amie ne s'occupe que de lui.
5. Son amie regrette toujours son erreur mais elle continue à faire la même chose.
6. « Malheureux » pense que son amie trouve Jacqueline plus intéressante que lui.
7. C'est une jeune fille qui écrit à Françoise Lalo.
8. Le garçon qu'elle aime a plus que de l'amitié pour elle.
9. Elle a rompu avec lui.
10. Elle voudrait être son amie comme avant.

Questions

1. A qui les jeunes Français demandent-ils des solutions à leurs problèmes sentimentaux ?
2. Qui écrit le plus souvent au « Courrier du Cœur », les garçons ou les jeunes filles ?
3. Quel est le problème du garçon ?
    a. Qu'est-ce qui arrive quand il est seul avec son amie ?
    b. Que fait son amie quand Jacqueline arrive ?
4. Qu'est-ce que Marcelle Ségal lui dit de faire ?
5. Quel est le problème de la jeune fille ?
    a. Qui est-ce qu'elle aime ?
    b. Combien de fois est-elle sortie avec lui ?
    c. Pourquoi a-t-il rompu avec elle ?
6. Qu'est-ce que Françoise Lalo lui dit de faire ?

Discutons

A discuter oralement ou par écrit.

1. A qui les jeunes Américains demandent-ils des solutions à leurs problèmes sentimentaux ? (Parents ? Amis ?)
2. Quelle est votre opinion des conseils d'Ann Landers ?
3. Est-ce que vous écoutez toujours avec intérêt les problèmes des autres ?
4. Pourquoi les jeunes filles écrivent-elles plus souvent que les garçons au « Courrier du Cœur » ? (Plus de problèmes ? Moins timides ?)
5. Ces deux lettres, sont-elles spécifiquement françaises ?

12 / Pas de frigo° chez moi !

(abréviation de **frigidaire**)
réfrigérateur

Jacques et Philippe Lambert ont plus de trente ans. Ils sont mariés ; ils ont des enfants. Tous les dimanches, ils rendent visite à leur mère, Mme Lambert, une charmante vieille dame qui habite un petit appartement à Paris. Aujourd'hui ils ont quelque chose à lui proposer.

Mme Lambert :
 Bonjour, mes garçons.
Philippe :
 Bonjour, maman. Comment vas-tu ?
Jacques :
 As-tu encore mal aux jambes ?°   mal...
Mme Lambert :
 Merci, ça va un peu mieux aujourd'hui.
Philippe :
 Maman, nous avons quelque chose à te proposer. Nous savons que tu as souvent mal aux jambes. C'est peut-être parce que tu descends et montes l'escalier° plusieurs fois   escalier par jour, pour faire ton marché. Jacques et moi, nous en avons parlé, et nous voulons t'acheter un frigo.

Mme Lambert :

Ah non ! Vous êtes vraiment très gentils de penser à moi,
mais un frigo, ça coûte trop cher.

Jacques :

Mais non, maman. La semaine passée j'en ai vu un au
Prisunic.° Il est assez grand pour toi, et pas très cher.

Prisunic

Mme Lambert :

Pourquoi aurais-je besoin d'un frigo ? Moi, toute seule, je
mange très peu.

Philippe :

Mais tu vas au marché tous les jours, n'est-ce pas ? C'est
loin. Avec un frigo, tu peux faire le marché pour plusieurs
jours, et comme ça tu ne descendras pas l'escalier si
souvent.

Jacques :

Qu'est-ce que tu en penses, maman ? Si tu acceptes, tu
auras le frigo dans deux ou trois jours.

Mme Lambert :

Je regrette, mes enfants, mais je ne veux pas de frigo
chez moi. Voici pourquoi. Tous les matins après le petit
déjeuner, je vais au marché. Bien sûr, c'est pour acheter   les choses qu'on mange
de la nourriture.° Mais j'y vais aussi pour voir mes amis.
Et pour apprendre les nouvelles du quartier. Voilà plus
de quarante ans que j'y vais tous les matins. Alors, si
j'avais un frigo, qu'est-ce que je ferais le matin après le
petit déjeuner ? Vous voyez, il ne faut pas m'en acheter
un.

[317 MOTS]

Synonymes

Trouvez un synonyme.

Vous êtes *gentil* de penser à moi. → Vous êtes *bon* de penser à moi.

1. Madame Lambert *demeure dans* un petit appartement.
2. Elle va au marché *chaque matin.*
3. Elle aime *acheter de la nourriture.*
4. Elle descend l'escalier *plus de deux* fois par jour.
5. Ses fils ont quelque chose à lui *suggérer.*

Tournures

A. *Utilisez **tous les matins** (jours, mois, ans).*

Allez-vous souvent au marché ? → Oui, j'y vais tous les jours.

1. Allez-vous souvent au Prisunic ?
2. Allez-vous souvent en France ?
3. Allez-vous souvent à l'école ?
4. Allez-vous souvent chez vos amis ?
5. Allez-vous souvent chez vos grands-parents ?

B.   *Utilisez **avoir besoin de.***

Est-ce qu'il te faut un frigo ? → **Non, je n'ai pas besoin de frigo.**
1. Est-ce qu'il te faut des vacances ?
2. Est-ce qu'il te faut de l'argent ?
3. Est-ce qu'il te faut une voiture ?
4. Est-ce qu'il te faut un appartement ?
5. Est-ce qu'il te faut une maison ?

C.   **Avez-vous vu un petit frigo ?** → **Oui, j'en ai vu un au Prisunic.**
1. Avez-vous vu un livre d'astrologie ?
2. Avez-vous trouvé un bon vin ?
3. Avez-vous vu un petit réfrigérateur ?
4. Avez-vous acheté une revue ?
5. Avez-vous cherché un livre de musique ?

Vrai ou faux ?

Corrigez le sens de la phrase, s'il est faux.
1. Jacques et Philippe Lambert sont de jeunes garçons.
2. Ils rendent visite à leurs enfants.
3. Mme Lambert habite une petite maison à la campagne.
4. Ses fils proposent de lui acheter un réfrigérateur.
5. Mme Lambert n'aime pas faire le marché tous les jours.
6. Elle refuse le frigo que ses fils lui proposent.

Questions

1. Est-ce que les fils de Mme Lambert lui rendent souvent visite ?
2. Est-ce que Mme Lambert va toujours bien ?
3. Pourquoi a-t-elle mal aux jambes ?
4. Qu'est-ce que ses fils lui proposent ?
5. Quelles sont les diverses raisons qu'elle donne pour refuser l'offre d'un frigo ?
6. Comment la vie de Mme Lambert est-elle différente de celle d'une dame américaine du même âge ?

13 / Votre horoscope

Croyez-vous à l'astrologie? Oui? Non? Eh bien, voici l'horoscope qui correspond à chacun des douze signes du zodiaque : vérifiez° le vôtre et celui de vos amis.

 confirmez

 — **Bélier (21 mars–20 avril)**

Beaucoup d'enthousiasme et de courage. Vous êtes très impulsif ; faites un effort pour penser avant de prendre une décision. Sens de l'humour. Vous exagérez souvent.

— **Taureau** (21 avril–21 mai)

Charme, patience, endurance. Vous ne pensez pas très vite et vous avez une disposition paresseuse.° Talent artistique ; vous pouvez devenir célèbre si vous voulez faire le travail nécessaire.

qui n'aime pas travailler

— **Gémeaux** (22 mai–22 juin)

Vous aimez parler, et vous parlez trop. Très changeant et ambitieux. Vous voulez faire trop de choses à la fois. Intelligent ; vous aimez étudier. Peut-être végétarien.

— **Cancer** (23 juin–23 juillet)

Imaginatif, sentimental, impatient, beaucoup d'intuition. Vous pouvez être excessivement jaloux.° Le mariage est pour vous très important. Timide mais ambitieux, vous avez besoin d'affection et d'encouragement.

(être) **jaloux** vouloir posséder exclusivement la personne qu'on aime

— **Lion** (24 juillet–23 août)

Noble, ambitieux, inventif, égoïste.° Vous aimez le théâtre et vous avez un certain talent dramatique. Vous avez un caractère obstiné, mais vous êtes aussi sensible à la flatterie.

le contraire de **généreux**

— **Vierge** (24 août–22 septembre)

Sens pratique ; vous réussirez dans le commerce. Vous changerez souvent de résidence et de profession. Extrêmement économe. Vous êtes irrésistible mais peu capable d'aimer.

— **Balance** (23 septembre–23 octobre)

Aspect élégant, beaucoup de charme et de subtilité. Devant une situation difficile vous prenez une décision logique, sans émotion. Vous êtes très diplomate, mais vous aimez bien imiter et critiquer les autres.

— **Scorpion** (24 octobre–22 novembre)

Courage, patience et énergie sans limite. Vous savez ce que vous voulez et vous faites tout votre possible pour l'avoir, en pensant que rien n'est impossible. Vous n'oubliez jamais une insulte.

— **Sagittaire** (23 novembre–21 décembre)

Très optimiste et sociable, vous avez donc beaucoup d'amis. Vous aimez voyager, mais pas trop loin. Impulsif, très énergique. La liberté est pour vous très importante. Pas de grande curiosité pour connaître la vie personnelle des autres.

— **Capricorne** (22 décembre–20 janvier)

Très travailleur, économe, diplomate, arrogant. Vous avez, comme Napoléon, beaucoup d'ambition et vous étudiez beaucoup. Vous vivrez très longtemps mais il faudra surveiller° les rhumatismes.

faire attention à

— **Verseau** (21 janvier–18 février)

Intuitif, intelligent. Les sciences et les inventions vous intéressent, mais vous aimez surtout l'art, la musique et la littérature. Vous détestez tout ce qui est orthodoxe. Il est difficile de vous connaître.

— **Poissons** (19 février–20 mars)

L'inspiration et l'indécision sont vos caractéristiques principales. Grande patience, très généreux. Vous n'êtes pas un « homme (ou une femme) d'action ». Vous ne devez pas boire. Un mariage avec une personne de la Balance serait malheureux.

[439 MOTS]

Substantifs

Trouvez dans le texte le substantif qui correspond à chacun de ces verbes.

marier → le mariage
1. flatter
2. décider
3. travailler
4. libérer
5. inspirer

Adjectifs

Trouvez l'adjectif qui convient.

Une personne qui n'aime pas travailler est *paresseuse*.
1. Une personne qui travaille beaucoup est _____.
2. Quelqu'un qui fait des économies est _____.
3. Une personne qui n'est pas généreuse est _____.
4. Quelqu'un qui ne pense pas avant de prendre une décision est _____.
5. Quelqu'un qui a des idées originales est _____.

Tournure

optimiste, sociable ; amis →
Très optimiste et sociable, il a donc beaucoup d'amis.

1. travailleur, économe ; argent
2. inventif, intelligent ; idées
3. arrogant, énergique ; ambition
4. sensible, intuitif ; talent artistique
5. optimiste, sociable ; amis

Faites votre horoscope

Choisissez les adjectifs qui vous décrivent :

obstiné, économe, égoïste, diplomate, énergique, timide, optimiste

pessimiste, sociable, inspiré, irrésistible, noble, sentimental

charmant, impatient, intelligent, élégant, changeant, patient, arrogant

courageux, paresseux, ambitieux, généreux, travailleur, jaloux

intuitif, inventif, imaginatif, impulsif

Discutons

Discutez, pour chacun de ces mêmes adjectifs, s'il faut l'être ou non.
Par exemple :

Faut-il être obstiné ? → **Oui, il faut être obstiné dans son travail, mais il ne**
faut pas l'être avec ses amis.

EXERCICES

Regardez le dessin, puis racontez vous-même l'histoire du pauvre violoniste. Voici quelques suggestions pour vous aider.

1 huit heures cinquante ; finir son dîner

2 se lever avant...

3 s'habiller vite ; mettre...

4 mettre son veston

5 descendre l'escalier ; porter...

6 monter en taxi ; dire au chauffeur...

7 entrer (où ?) par...

8 monter... sa loge

9 vingt et une heures juste ; se préparer pour...

10 sortir son violon

11 entrer en scène

12 jouer mal ; public n'aime pas ; jeter objets et tomates

[65 MOTS]

Dessin de Bosc dans *Paris-Match*

15 / Les Français et le vin

Les Français sont les plus grands buveurs° de vin du monde : 117 litres° par personne et par an ! Mais leur consommation est en train de diminuer° d'année en année. Pourquoi cette tendance à la sobriété ?

Ce n'est pas parce que le vin est trop cher. Le prix du vin n'a augmenté° que de 6 pour cent pendant une période où les prix, en général, ont augmenté de 25 pour cent.

Il faut chercher une autre explication. D'abord, il y a la publicité anti-alcoolique et le danger d'avoir un accident d'automobile. Deuxièmement, au lieu de boire beaucoup de vin les Français en boivent moins, mais ils choisissent des vins de meilleure qualité. Enfin les jeunes de la nouvelle génération boivent beaucoup plus de coca-cola que leurs parents, et la consommation d'eau minérale a augmenté aussi, de huit à vingt-cinq litres par personne et par an.

Autre explication possible : on boit maintenant douze fois plus de whisky !

[156 MOTS]   Adaptation d'un article de *l'Express*

personnes qui boivent

117 litres à peu près 31 gallons
devenir plus petit

augmenté devenu plus grand

EXERCICES

Antonymes

Trouvez un antonyme.

On boit *plus* de vin maintenant. → On boit *moins* de vin maintenant.

1. La consommation *augmente* d'année en année.
2. Ils choisissent des vins de *moins bonne* qualité.
3. Les gens de la *vieille* génération boivent de l'eau minérale.
4. Ils boivent deux fois *moins* de whisky.
5. Les Français ont l'habitude de boire *peu* de vin.

Tournures

A. **Tu bois trop de vin. → Tu es en train de boire trop de vin.**
  1. Ils boivent du vin.
  2. On consomme moins de vin.
  3. Le prix du whisky augmente.
  4. Nous choisissons les meilleurs vins.
  5. Je cherche une autre explication.

B. **Buvons du vin ! → Au lieu de boire du vin, buvons autre chose.**
  1. Prenons du whisky !
  2. Choisissons ce vin-là !
  3. Prenons un coca-cola !
  4. Buvons de l'eau minérale !
  5. Prenons encore un verre de vin !
  6. Choisissons un vin moins cher !

Questions

  1. Est-ce que la consommation du vin en France augmente ?
  2. Combien de litres de vin les Français boivent-ils par personne et par an ?
  3. Le prix du vin a-t-il augmenté plus que les prix en général ?
  4. Pourquoi boit-on moins de vin en France ?
  5. Quelle différence y a-t-il entre les consommations des jeunes et celles de leurs parents ?

Discutons

A discuter oralement ou par écrit.

  1. En général, qu'est-ce que vous prenez comme consommation avec le repas ?
  2. Quelles sont les consommations les plus populaires en Amérique ? Et en France ?
  3. Pourquoi, à votre avis, les Français consomment-ils beaucoup de vin ?

16 / Le vol° de « la Joconde »

le crime de voler quelque
chose

Le mardi 22 août 1911, les journaux français annoncent que
« la Joconde », le célèbre tableau de Léonard de Vinci, a
été volée°. Ce tableau est souvent appelée « Monna Lisa ».   prise furtivement
   L'histoire de ce vol mystérieux commence le jour avant,
lundi 21 août. Le Louvre, le musée où ce célèbre tableau
est exposé au public, est fermé tous les lundis. Ce matin-là
trois ouvriers entrent dans le musée. A sept heures vingt,
ils s'arrêtent dans la salle où « la Joconde » est exposée.
   « C'est le tableau le plus précieux du monde, » dit un des
ouvriers en regardant le sourire mystérieux de Monna Lisa.

Une heure plus tard, les trois hommes traversent encore une fois la salle. Mais cette fois-ci « la Joconde » n'est pas là.

« Ah, ah, dit un des hommes, ils l'ont cachée. Ils ont peur de nous. »

La journée passe et personne ne dit rien. Le lendemain,° le 22 août, Louis Béroud arrive. Il est peintre° et il veut copier le célèbre tableau de Léonard de Vinci.

Le... le jour après
artiste

« Où est ‹ la Joconde › ? » demande-t-il à M. Poupardin, le gardien.°

personne qui garde

« Chez le photographe° », répond M. Poupardin.

personne qui fait des photos

En vérité il ne sait pas où elle est. Mais si « Monna Lisa » n'est pas à sa place, il croit que le photographe est probablement en train de la photographier.

A midi, M. Béroud commence à s'impatienter.

« Où est ‹ la Joconde › ? » demande-t-il encore une fois au gardien.

« Je vais demander », répond M. Poupardin.

Dix minutes plus tard le gardien revient. Il est très pâle. C'est en tremblant qu'il dit : « Le photographe ne l'a pas. »

Ainsi, avec un retard d'un jour et demi, on découvre° que le tableau le plus précieux du monde a été volé.

s'aperçoit, trouve

En peu de temps, il y a une centaine d'agents de police dans le musée. On demande aux visiteurs de partir, on ferme les portes et on cherche partout. Bientôt, on trouve le cadre vide° de « la Joconde ». On questionne les gardiens. Ils sont tous certains que le tableau n'a pas quitté le Louvre. On continue à chercher. On regarde partout dans l'immense musée. Rien.

cadre vide

Les jours passent. Toute la police de France et d'Europe cherche « Monna Lisa », peinte en 1504 à Florence par Léonard de Vinci et acheté en 1518 par François 1er, roi° de France. On inspecte les trains. On questionne des centaines de suspects. Mais on ne trouve rien.

roi

Les semaines, les mois, les années passent. Toujours rien.

En décembre 1913, deux ans et trois mois après le vol de « la Joconde », un marchand d'art à Florence reçoit une lettre étrange :

Cher M. Géri,

Je suis italien. C'est moi qui ai pris «la Joconde» au Louvre en 1911. J'ai fait cela pour rendre à l'Italie un des nombreux chefs-d'œuvre° volés par les Français.

les meilleurs tableaux d'un artiste

Léonardo

« C'est un fou », croit M. Géri, le marchand. Cependant,° il répond à la lettre. Le 11 décembre 1913, M. Géri rend visite à Vincenzo Léonardo à l'Hôtel Tripoli-Italia. Il entre dans la chambre de M. Léonardo. M. Léonardo cherche sous son lit, tire une grande valise et sort un paquet plat. Il ouvre le paquet. M. Géri est stupéfait. Voici, devant lui, le célèbre sourire de Monna Lisa. C'est bien « la Joconde ».

mais

On informe le roi d'Italie, le pape,° l'ambassadeur de France, même le Parlement italien.

chef de la religion catholique

Le 31 décembre 1913, « la Joconde » arrive à Paris, gardée par vingt agents de police. On la met à sa place dans le Louvre. Ce jour-là cent mille personnes viennent la voir.

Mais pourquoi Vincenzo Léonardo, qui s'appelle vraiment Vincenzo Perugia, a-t-il volé « la Joconde » ? Voici ce qu'il dit : « J'ai lu que Napoléon a volé ‹ la Joconde › à Florence. J'ai voulu la rendre à l'Italie. »

Parce que l'opinion italienne était pour M. Perugia, il n'est resté que six mois en prison.

[621 MOTS]   Adaptation d'un article de *l'Express*

EXERCICES

Vocabulaire

Employez les mots donnés pour compléter les phrases suivantes.

le vol   le voleur   voler

1. L'histoire du _____ de « la Joconde » est étonnante.
2. Le 21 août 1911, Vincenzo Perugia _____ le tableau célèbre.
3. On a découvert _____ le lendemain.
4. _____ était un Italien qui pensait que Napoléon avait _____ « la Joconde » à son pays.
5. _____ du tableau, M. Perugia, n'a pas été sévèrement puni.
6. Aujourd'hui, il serait plus difficile de _____ « la Joconde ».

Définitions

Complétez les phrases suivantes.

Le chef de la religion catholique est *le pape*.

1. Un _____ gagne sa vie en prenant des photos.
2. Le meilleur travail d'un artiste est son _____.
3. Un _____ est un travailleur manuel.
4. Le monsieur que se charge de surveiller les visiteurs et les œuvres d'art dans un musée s'appelle un _____.
5. Une personne qui a eu très peur et qui a perdu toute sa couleur est _____.

Famille de mots

Donnez les substantifs en -eur.

un voleur : un criminel qui fait du *vol*

1. _____ : le chef de l'*ambassade*
2. _____ : celui qui *travaille*
3. _____ : celui qui rend *visite*
4. _____ : un homme qui *cherche*, surtout dans les sciences
5. _____ : celui qui fait l'*inspection*

Tournures

A. **Ce tableau est *précieux*. → C'est le tableau le plus précieux du monde.**

1. Ce peintre est célèbre.
2. Ce marchand est honnête.
3. Cet ambassadeur est intelligent.
4. Cette valise est précieuse.
5. Ce photographe est artistique.
6. Ce gardien est sûr.
7. Cet ouvrier est travailleur.
8. Ce vol est mystérieux.

B. **Les visiteurs ne partent pas. → On demande aux visiteurs de *ne pas partir*.**

1. Les visiteurs ne photographient pas.
2. Les clients ne posent pas de questions.
3. Le gardien ne revient pas.
4. M. Béroud ne s'impatiente pas.
5. Le photographe ne s'approche pas.
6. Les gens ne viennent pas la voir.
7. Le marchand n'ouvre pas le paquet.

Questions

1. Qui a peint « la Joconde » et à quelle époque ?
2. Est-ce qu'on a découvert le vol tout de suite ?
3. Qu'est-ce que le peintre, M. Béroud, voulait faire ?
4. Selon M. Poupardin, où était « la Joconde » ?
5. En vérité, est-ce que le gardien savait où était le tableau ?
6. Est-ce qu'on a retrouvé « la Joconde » tout de suite ?
7. Qu'est-ce que le marchand d'art italien a reçu de « Léonardo » ?
8. Où M. Géri a-t-il vu le tableau ?
9. Quelle raison M. Perugia a-t-il donnée pour avoir volé « la Joconde » ?
10. Est-ce qu'on a sévèrement puni le voleur ? Pourquoi ?

17 / Napoléon

Quand on entend parler de Napoléon, c'est toujours de
l'empereur, de ses exploits militaires ou de son exil à Sainte-
Hélène. Mais que savez-vous de son enfance et de sa vie
d'étudiant ?

Napoleone Buonaparte est né en Corse, île française mais
de traditions italiennes. Sa famille appartient à° l'aristocratie, mais elle est pauvre, et alors que° le petit garçon n'a
que neuf ans, ses parents l'envoient à une école militaire
près de Paris, où on l'accepte gratuitement° parce que ses
parents sont nobles et pauvres.

La vie est très différente en France et Napoléon n'est pas
très heureux dans ce pays étranger. D'abord il n'a pas d'argent. Il est mal habillé et tous les autres garçons sont riches.
Et puis il parle mal le français, il est petit et il a un nom et
des manières° corses. Ses camarades d'école le ridiculisent.
Mais Napoléon se croit supérieur à eux.

Pendant les cinq ans qu'il passe à cette école, il ne rit
jamais. Il est seul, sans amis, indépendant, égoïste.° Il aime
beaucoup se comparer aux héros de l'antiquité grecque et
romaine. Il passe son temps à étudier et obtient° de bons

appartient à fait partie de

alors... quand

sans payer

gestes, façons de faire, etc.

le contraire de généreux

reçoit

69

résultats, surtout en mathématiques, en histoire et en géographie.

Après avoir passé un an à l'académie militaire à Paris, Napoléon devient sous-lieutenant ; il n'a que seize ans. Il veut rester à Paris parce que la vie y est intéressante. La Révolution se prépare, mais l'autorité militaire l'envoie dans une petite ville qui offre très peu de distractions pour un jeune homme de son âge. Il s'intéresse à la vie sociale, mais les femmes ne s'intéressent pas à lui. Il est trop petit et trop pauvre. Il continue à lire et à étudier : la géographie, l'histoire, la politique. Il devient expert en artillerie et en stratégie militaire.

Ses supérieurs commencent à remarquer que ce jeune officier, dans cette petite ville, a une intelligence très vive,°   rapide, alerte
un grand sens pratique et une aptitude extraordinaire pour l'artillerie et la tactique. Ses progrès sont alors très rapides, et à l'âge de vingt et un ans, après avoir gagné la bataille de Toulon, il est nommé général. C'est sa première victoire et le commencement de sa légende.

[351 MOTS]

EXERCICES

Synonymes

Trouvez un synonyme.

Ses camarades *se moquent de lui.* → Ses camarades *le ridiculisent.*

1. La famille Buonaparte *fait partie de* la noblesse.
2. Napoléon est *sans argent.*
3. Pendant *qu'il est enfant*, il travaille beaucoup.
4. Napoléon se compare aux héros de *la période des Grecs et des Romains.*
5. On remarque que Napoléon a une aptitude *exceptionnelle* pour la stratégie.

A.   Napoléon *croit qu'il est* supérieur aux autres. →
        Napoléon se croit supérieur aux autres.

        Le général *montre qu'il est* très égoïste. →
        Le général se montre très égoïste.

1. Ce garçon croit qu'il est plus intelligent que toi.
2. Le général croit qu'il est grand stratégiste.
3. Mon cousin croit qu'il est noble d'origine.
4. Nous croyons que nous sommes moins riches que les autres.
5. La petite fille montre qu'elle est intelligente en classe.
6. Ce garçon montre qu'il est assez indépendant.
7. Ce jeune homme montre qu'il est très égoïste.

B.   A l'école, on *lit tout le temps.* → A l'école, on passe le temps à lire.

1. Chez nous, on écoute des disques tout le temps.
2. Au village, il étudie la tactique tout le temps.
3. A Paris, il se promène dans la rue tout le temps.
4. En Corse, le petit Napoléon lit tout le temps.
5. A l'école, on ridiculise Buonaparte tout le temps.
6. En vacances, on s'amuse tout le temps.

Vrai ou faux ?

        Corrigez le sens de la phrase, s'il est faux.

1. Napoléon est né dans une île italienne.
2. Sa famille est noble et pauvre.
3. Napoléon s'amuse beaucoup à l'école militaire.
4. C'est un grand garçon qui se croit supérieur aux autres.
5. Ses camarades d'école le ridiculisent parce qu'il est différent d'eux.
6. Napoléon devient sous-lieutenant après la Révolution.
7. Il étudie beaucoup, et il devient expert en stratégie militaire.
8. Après plusieurs victoires, il est nommé général.

Questions

1. Où Napoléon est-il né ?
2. De quelle sorte de famille vient-il ?
3. Est-ce qu'il doit payer son éducation à l'école militaire ? Pourquoi ?
4. Pourquoi Napoléon n'est-il pas content à l'école ? (Il y a au moins quatre raisons.)
5. Est-ce que le sous-lieutenant Buonaparte peut rester à Paris ?
6. Quelles sont les spécialités militaires de Napoléon ?
7. Après quelle victoire est-ce qu'on le nomme général ?
8. Est-ce qu'il peut y avoir un nouveau Napoléon aujourd'hui... en France ? Aux États-Unis ?

Dans le monde moderne, beaucoup de gens mangent trop, tra-vaillent trop et oublient totalement de penser à leur santé jusqu'au moment où ils tombent vraiment malades. Dans des annonces° comme celle-ci, le gouvernement encourage les Français à faire régulièrement des exercices physiques pour rester en forme.°

annonce publicité payée

en... en bonne santé et content

18

regardez-vous...

la forme, ça vous regarde !°

la... Votre santé est votre affaire !

Vous sentez-vous vraiment en forme, heureux de vivre ? Ce n'est pas sûr... La vie moderne réduit° de plus en plus l'exercice physique et affaiblit° progressivement votre corps. Préservez votre santé, combattez la fatigue et la dépression. Assurez à votre corps un **minimum vital d'exercice !** Retrouvez la vie naturelle ! Vous avez des jambes : marchez ! Retrouvez le plaisir de « vivre en forme »... et tout ira mieux pour vous et pour les autres. Alors pratiquez le sport, faites des promenades à pied dans la nature et, au minimum : faites des exercices tous les jours. En voici quelques exemples.

diminue
rend faible

l'exercice c'est la santé

marche   course   grimper   natation   bicyclette   gymnastique

[141 MOTS]

Adaptation d'une annonce offerte aux
Grandes Causes Nationales par Publicis

Association

Complétez chaque phrase par le verbe qui convient.

Vous avez des jambes : *marchez* **!**

1. Vous avez une bouche :
2. Vous avez une tête :
3. Vous avez des pieds :
4. Vous avez des cigarettes :
5. Vous avez le dîner devant vous :
6. Vous avez un verre de vin :

Tournures

A.   **le 1er, le 2, le 3 mars...** → **On fait une longue promenade** *tous les jours.*

        le 2, le 4, le 6 mai... → **On fait une longue promenade** *tous les deux jours.*

1. le 1er, le 3, le 5 mars...
2. en avril, en mai, en juin...
3. en janvier, en mars, en mai...
4. l'an dernier, cette année, l'an prochain...
5. le 1er, le 4, le 7 mai...
6. cette année, dans deux ans, dans quatre ans...

B.   **Faites des promenades à pied !** →
        On vous encourage à faire des promenades à pied.

1. Combattez la fatigue !
2. Retrouvez la vie naturelle !
3. Faites des exercices tous les jours !
4. Préservez votre santé !
5. Pratiquez le sport !

Questions

1. Comment est-ce que nous négligeons notre santé dans le monde moderne ?
2. Pourquoi est-ce que le gouvernement a mis cette annonce dans les journaux ?
3. Qu'est-ce que cette annonce suggère de faire pour « rester en forme » ?
4. Que veut-on dire par « Tout ira mieux pour vous *et pour les autres* » ?

Points de vue

A discuter oralement ou par écrit.

1. Faites-vous des exercices tous les jours ?
2. Le gouvernement a-t-il raison de s'occuper de la santé des citoyens ?
3. Lorsqu'on habite une grande ville, comment peut-on s'exercer tous les jours ?
4. Est-ce que ce serait facile, en changeant un petit peu vos habitudes, d'avoir plus d'exercice physique chaque jour ?

19 / Fumez-vous?

Fumez-vous ? Voici ce qu'en dit « L'Institut Anti-Tabac » dans une de leurs annonces.

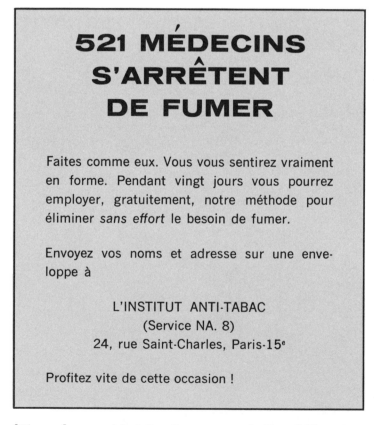

521 MÉDECINS S'ARRÊTENT DE FUMER

Faites comme eux. Vous vous sentirez vraiment en forme. Pendant vingt jours vous pourrez employer, gratuitement, notre méthode pour éliminer *sans effort* le besoin de fumer.

Envoyez vos noms et adresse sur une enveloppe à

L'INSTITUT ANTI-TABAC
(Service NA. 8)
24, rue Saint-Charles, Paris-15e

Profitez vite de cette occasion !

[67 MOTS]   Adaptation d'une annonce du *Nouvel Observateur*

EXERCICES

Définitions

Trouvez le mot ou l'expression qui convient.

Une personne qui est en bonne santé est *en forme*.

1. On peut employer cette méthode sans payer, c'est-à-dire, on peut l'employer _____.
2. Si l'on peut faire quelque chose facilement, on le fait _____.
3. Si l'on est malade, on va voir _____.
4. Un synonyme pour « cesser » est _____.
5. Quand on vous offre un bon produit à un prix modéré, il faut profiter de l' _____.

Tournure

Utilisez l'expression s'arrêter de.

521 médecins ont commencé à fumer. →
521 médecins se sont arrêtés de fumer.

1. Le besoin de fumer a bientôt commencé.
2. Nous avons commencé à employer cette méthode.
3. J'ai commencé à faire comme eux.
4. Vous avez commencé à faire de longues promenades.
5. Il a commencé à fumer la pipe.

Questions

1. Combien de médecins se sont arrêtés de fumer ?
2. Pendant combien de jours peut-on employer gratuitement la méthode de l'Institut Anti-Tabac ?
3. Qu'est-ce qu'il faut faire pour essayer la méthode de l'Institut ?
4. Pourquoi est-ce qu'on insiste sur les mots « sans effort » ?

Points de vue

A discuter oralement ou par écrit.

1. Fumez-vous ? Si oui, avez-vous essayé de vous arrêter ?
2. Tout le monde sait que les cigarettes sont mauvaises pour la santé. Alors, pourquoi est-ce qu'on continue à fumer ?
3. Qu'est-ce qu'il faut faire pour essayer la méthode de l'Institut ?
4. Est-ce que cette annonce va réussir à convaincre les fumeurs de s'arrêter de fumer ?

20 / Main gauche
ou main droite?

Pauvres Américains ! Quand ils sont petits, leurs parents les
torturent pour qu'ils mangent comme il faut. Et quand ils
viennent en France, ils découvrent que les manières sont
différentes.

L'Américain bien élevé a appris qu'il faut toujours tenir
sa fourchette dans la main droite. Pour couper sa viande, on
fait passer sa fourchette dans la main gauche et on coupe

en tenant le couteau dans la main droite. Puis on pose le couteau, et on fait repasser la fourchette dans la main droite pour manger le morceau qu'on vient de couper. Quel travail ! Et on n'a même pas le droit de couper toute sa viande en petits morceaux d'abord. Non, il faut exécuter° ce petit ballet pour chaque morceau.

faire

Les Européens sont toujours surpris de voir cela. « Pourquoi, demandent-ils, ne gardez-vous pas la fourchette dans la main gauche comme nous ? C'est simple et logique... et cela vous permet de manger plus vite. »

Ils ont raison. Beaucoup d'Américains qui ont voyagé en Europe ont adopté l'habitude° européenne, qu'ils gardent une fois rentrés° chez eux.

coutume, façon de faire

retournés

Est-ce la seule différence à table ? Non, en Europe on pose sa main gauche sur la table et non pas sur ses genoux.° Et puis on ne mange rien avec les doigts,° même pas une orange ou une banane. Et puis... mais c'est déjà assez pour prouver que vos parents ont perdu leur temps en vous apprenant toutes ces « belles manières » inutiles°... en Europe.

ici, surface formée par les jambes quand on est assis
On a dix doigts, cinq à chaque main.

le contraire d'**utiles**

[238 MOTS]   Adaptation d'un article de *l'Express*

EXERCICES

Synonymes

Trouvez un synonyme.

Il *est rentré* à la maison. → Il *a retourné* à la maison.

1. *J'ai découvert* des différences entre les manières des Français et celles des Américains.
2. Il faut *faire* un petit ballet pour couper chaque morceau.
3. Il est *raisonnable* de garder la fourchette dans la main gauche.
4. Les *coutumes* européennes sont plus simples que les nôtres.
5. *Il ne faut pas* couper toute sa viande en petits morceaux avant de la manger.

Tournures

A.   **J'ai dit à Georges d'acheter les fruits. → Je les lui ai fait acheter.**
1. J'ai dit au bébé de manger la banane.
2. J'ai dit à Papa de couper la viande.
3. J'ai dit a mon frère de passer la fourchette.
4. J'ai dit à Louise de poser son couteau.
5. J'ai dit à mon oncle de boire son vin.

B.   **Tu vois comment je coupe la viande ? →**
Oui, mais pourquoi ne coupes-tu pas la viande comme nous ?
1. Tu vois comment je tiens la fourchette ?
2. Tu vois comment je mange les fruits ?
3. Tu vois comment je pose mon couteau ?
4. Tu vois comment je mange la viande ?
5. Tu vois comment je leur apprends à manger ?

Vrai ou faux ?

Corrigez le sens de la phrase s'il est faux.
1. Les parents américains forcent leurs enfants à manger avec la main droite.
2. Les manières sont les mêmes en France et en Amérique.
3. D'habitude, l'Américain tient sa fourchette de la main gauche.
4. En Amérique, on doit couper toute sa viande en petits morceaux avant de commencer à la manger.
5. Après un voyage en Europe, beaucoup d'Américains changent leur façon de manger.
6. En Europe, on doit mettre la main gauche sous la table.
7. En Europe, on mange les fruits avec un couteau et une fourchette.

Points de vue

A discuter oralement ou par écrit.
1. Les manières européennes sont plus logiques que les manières américaines.
2. C'est un avantage de pouvoir manger plus vite.
3. Un Américain doit garder ses habitudes américaines quand il va en Europe, au lieu d'adopter les habitudes européennes.
4. Si un Européen venait chez moi, et s'il mangeait une banane avec une fourchette et un couteau, je...

21 / Les petits pots

La mère de famille française a des opinions très nettes° sur la cuisine — surtout sur ce qu'il faut donner à manger aux enfants, et ce qu'il ne faut pas leur donner. Elle regarde avec méfiance° les petits pots de viande, de légumes et de fruits pour bébés. Elle en achète, en moyenne,° seulement neuf kilos° par an et par enfant, contre quatre-vingt-cinq kilos aux États-Unis et quarante-sept kilos en Grande-Bretagne.

Il n'est pas facile de persuader une mère française qu'un petit pot vaut les soupes qu'elle prépare elle-même. Parce qu'elle aime savoir « ce qu'on met dedans », parce qu'elle veut faire comme sa mère a fait et parce qu'elle n'aime pas les conserves,° elle refuse ces pots stérilisés, qui sont faits avec les meilleures viandes, légumes et fruits, et qui sont cuits à la température idéale pour conserver les vitamines.

fortes, claires

suspicion
en... *on the average*
kilogrammes

les conserves nourriture en pot ou en boîte

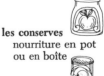

Et puis, le petit pot lui donne mauvaise conscience, car elle n'est pas sûre d'être une bonne mère si elle ne passe pas des heures à faire la cuisine.

[168 MOTS]   Adaptation d'un article du *Nouvel Observateur*

EXERCICES

Tournures

Répondez selon le premier paragraphe de l'article.

A.   **En France... en Grande-Bretagne.** →
En France, on achète *moins de* (ou *plus de*) nourriture pour bébé qu'en Grande-Bretagne.

1. En France... en Grande-Bretagne.
2. Aux États-Unis... en France.
3. En Grande-Bretagne... aux États-Unis.
4. Aux États-Unis... en Grande-Bretagne.
5. En Grande-Bretagne... en France.
6. En France... aux États-Unis.

B.　　**Cette viande en boîte a un assez bon goût.** →
　　　　Oui, mais ça ne vaut pas la viande de chez nous !

1. Ces légumes en boîte ont un assez bon goût.
2. Ces fruits en pot ont un assez bon goût.
3. Ce dessert en boîte a un assez bon goût.
4. Ces carrottes en pot ont un assez bon goût.
5. Ce jambon en boîte a un assez bon goût.

Vrai ou faux ?

Corrigez le sens de la phrase s'il est faux.

1. La femme française a des opinions très fortes sur la cuisine.
2. La femme anglaise achète en moyenne quarante-sept kilos de nourriture en pots par an pour chacun de ses enfants.
3. Selon la mère française un petit pot vaut les soupes qu'elle prépare elle-même.
4. La nourriture en pot ne contient pas beaucoup de vitamines.
5. La femme française moderne ne passe pas beaucoup de temps à faire la cuisine pour ses enfants.

Questions

1. Combien de kilos de nourriture en pot la mère française achète-t-elle chaque année, en moyenne ?
2. Est-ce moins que la mère anglaise ? Combien moins ?
3. Pourquoi les Français veulent-elles préparer la nourriture elles-mêmes ? (Il y a au moins trois raisons.)
4. Quels sont les avantages de la nourriture en pot ? (Il y en a au moins trois.)

Points de vue

A discuter oralement ou par écrit.

1. A quoi attribuez-vous la différence entre l'attitude américaine envers les petits pots et l'attitude française ?
2. Moi, si j'avais des enfants, je ferais tout moi-même. Je n'achèterais jamais de nourriture en petits pots.
3. Je trouve que la nourriture américaine est très artificielle.

22 / Deux monuments célèbres

Nous connaissons tous le nom des deux monuments les plus célèbres de Paris : l'Arc de Triomphe et la Tour Eiffel. Mais le nom, c'est peut-être tout ce que nous savons sur eux. Ces deux articles nous donnent des détails supplémentaires.

L'Arc de Triomphe

Napoléon, mort en exil en 1821, n'a jamais vu l'Arc de Triomphe, monument magnifique qu'il a fait construire pour célébrer les victoires de ses armées. L'Arc, dont la construction n'a été terminée qu'en 1836, quinze ans après

la mort de Napoléon, porte de nombreux bas-reliefs illustrant ses grandes batailles.°   combats entre deux armées

Il a bien choisi le lieu de ce monument, à l'ouest de Paris, sur une petite hauteur° qui donne une bonne vue d'ensemble sur le centre de la ville. Il passait souvent par cet endroit en allant à la Malmaison, résidence de sa femme Joséphine.   petite colline

L'Arc de Triomphe a joué un rôle important dans toutes les grandes guerres depuis le siècle° dernier. En 1870, pendant la guerre Franco-Prussienne, il servait d'observatoire à l'ennemi. Pendant la Première Guerre Mondiale (1914–18), des défilés militaires° ont souvent passé sous l'Arc. Depuis 1920, un « soldat inconnu » y repose, symbole de tous les soldats morts pour la France. Et en 1944, à la fin de la Deuxième Guerre Mondiale, les derniers combats de la libération de Paris ont eu lieu aux pieds de l'Arc ; après ces combats les Français victorieux y ont hissé° le drapeau de la liberté retrouvée.

cent ans

défilé militaire

mis, élevé

[233 mots]   Adaptation d'un article de *Paris-Match*

La Tour Eiffel

La Tour Eiffel est non seulement un monument célèbre mais aussi un grand succès financier. L'ingénieur français Gustave Eiffel l'a construite pour l'Exposition Internationale qui a eu lieu à Paris en 1889. Dans sa première année, elle a reçu assez de visiteurs pour payer les frais° de sa construction.   l'argent que la construction a coûté

Trois cents ouvriers ont construit la Tour en deux ans, deux mois et deux jours. Pendant quarante-quatre ans, elle a été le plus haut monument du monde, avec 984 pieds de haut. Elle reste le monument français le plus visité : presque soixante millions de personnes depuis 1889. Chaque année, elle reçoit 2 500 000 visiteurs. Le musée du Louvre vient en deuxième place avec un peu plus d'un million.

[119 mots]   Adaptation d'un article de *l'Express*

Synonymes

Trouvez un synonyme.

Napoléon passait souvent par *ce lieu*. →
Napoléon passait souvent par *cet endroit*.

1. Ce sont deux des monuments les plus *connus* de Paris.
2. L'Arc de Triomphe se trouve sur une petite *colline* à l'ouest de Paris.
3. *Tous les ans*, la Tour Eiffel reçoit 2 500 000 visiteurs.
4. Napoleon a fait construire l'Arc de Triomphe pour *fêter* ses victoires.
5. L'Arc de Triomphe a joué un rôle important depuis *cent ans*.

Tournures

A.　　**On a terminé la construction de ce monument en 1836. →**
　　　　Voici le monument dont on a terminé la construction en 1836.

1. J'ai vu l'intérieur de ce monument.
2. On a observé la construction de cette tour.
3. Nous avons vu une partie de cette exposition.
4. Il a choisi le lieu de ce monument.
5. Jeanne parle tout le temps de ce monument.

B.　　**L'Arc porte des bas-reliefs. (nombreux) →**
　　　　L'Arc porte de nombreux bas-reliefs.

1. Les touristes cherchent des cartes postales. (jolies)
2. La Tour a été construite par des ouvriers. (nombreux)
3. Nous avons vu des monuments. (beaux)
4. J'ai vu passer des défilés militaires. (longs)
5. Des batailles y ont eu lieu. (terribles)

Vrai ou faux ?

Corrigez le sens de la phrase, s'il est faux.

1. Napoléon est mort avant de voir l'Arc de Triomphe.
2. Les bas-reliefs sur l'Arc de Triomphe illustrent les victoires de la Première Guerre Mondiale.
3. On peut voir tout Paris de l'Arc, qui est placé sur une petite colline.
4. Napoléon connaissait bien l'endroit où l'on a construit l'Arc.
5. Depuis la Deuxième Guerre Mondiale un soldat inconnu repose aux pieds du monument.

6. Depuis plus d'un siècle la Tour Eiffel est un des grands monuments de Paris.
7. La Tour a été construite par Napoléon.
8. Les nombreux visiteurs ont contribué au succès financier de la Tour Eiffel.
9. La Tour Eiffel reçoit moins de visiteurs que le Louvre.

Questions

1. Qui a fait construire l'Arc de Triomphe ?
2. Quand a-t-on terminé la construction de l'Arc ?
3. Où se trouve l'Arc ?
4. Qui repose sous l'Arc ? Qu'est-ce qu'il symbolise ?
5. Où ont eu lieu les derniers combats de la libération de Paris ?
6. Qu'est-ce que les Français ont fait après ces combats ?
7. En quelle année a-t-on terminé la construction de la Tour Eiffel ?
8. La Tour Eiffel a combien de pieds de haut ?
9. Combien de personnes par an visitent la Tour Eiffel ?

Discutons

A discuter oralement ou par écrit.

1. Quels monuments à Paris voudriez-vous visiter ? Pourquoi ?
2. La France est-elle le seul pays à avoir un « soldat inconnu » ?
3. Approuvez-vous les raisons pour lesquelles l'Arc de Triomphe a été construit ? La Tour Eiffel ?

23 / Les femmes sans nom

Il y a cinquante millions de Français ; plus de la moitié
(52 pour cent) sont du sexe féminin ; et 33 pour cent de
ces femmes françaises jouent, par leur travail, un rôle actif
dans la Nation.

Quelle est la situation de cette majorité féminine ?

On dit souvent que la femme française est libre, qu'elle a
les mêmes droits que l'homme. Que pensez-vous alors de
cet incident, qui est arrivé à une Française, Mme Évelyne
Sullerot ?

✽   ✽   ✽

J'étais au bord de la mer, au début du mois d'août, avec
mes enfants. Mon mari savait que nous avions besoin

d'argent pour faire une excursion, et il m'a envoyé un mandat télégraphique.° Je suis allée chercher l'argent au bureau de poste, avec mon passeport comme pièce d'identité.° Là, l'employée m'a dit :

« Je ne peux pas vous donner cet argent, madame ; il est pour M. Sullerot. »

« Mais M. Sullerot me l'a envoyé ! »

« Peut-être, mais le mandat est au nom de Sullerot, sans ‹ Madame ›. Donc je ne peux pas le donner à une femme. »

J'essaie d'expliquer que je n'ai plus d'argent, que je dois partir avec les enfants. En vain. L'employée m'explique que mon nom de femme mariée doit être précédé de « Madame ».

La nécessité m'a donné de l'imagination. J'ai appelé un de mes fils, qui m'attendait dehors. Il a treize ans. J'ai demandé à l'employée :

« Et lui, il peut recevoir l'argent ? »

« Oui, madame, s'il a une pièce d'identité. »

J'ai dit à mon fils de courir vite chercher sa carte d'identité à la maison. Dix minutes plus tard il revient en courant, montre à l'employée la carte d'identité (avec une photo de lui à sept ans !) et reçoit la grosse somme d'argent qu'on avait refusée à sa mère.

« Cet argent est à moi maintenant », dit-il, triomphant.

Il finit par me le donner, mais en remarquant avec raison :

« Je comprends maintenant, maman. Les femmes ont besoin des hommes, car sans eux elles n'existent même pas ! »

[318 MOTS]   **Adaptation d'un article du *Nouvel Observateur***

Synonymes

Trouvez un synonyme.

Finalement il me le donne. → **Il finit par** me le donner.

1. Plus de *50 pour cent* des femmes ont des passeports.
2. J'ai dû partir avant *le commencement* du programme.
3. *La plupart* des Français jouent un rôle actif dans la Nation.
4. C'est une femme *anonyme*.
5. *Il nous fallait* de l'argent.

Tournures

A. *Utilisez l'expression* **finir par**.

Il donne cet argent à sa mère. → **Il finit par donner cet argent à sa mère.**

1. Son mari lui envoie un mandat.
2. Ils partent en excursion.
3. L'employée est d'accord.
4. Nous rendons visite à notre vieille tante.
5. Les enfants mangent tout ce qu'on leur donne.

B. **C'est mon argent.** → **Cet argent est à moi.**

1. C'est notre mandat postal.
2. C'est sa carte d'identité.
3. Ce sont nos passeports.
4. Ce sont leurs enfants.
5. C'est mon paquet d'argent.

C. **l'argent, le bureau de poste →**
    Je suis allé chercher l'argent au bureau de poste.

1. le mandat, le bureau de poste
2. des cigarettes, le bureau de tabac
3. un journal, le bureau de tabac
4. ma carte d'identité, la maison
5. mon passeport, la maison

Vrai ou faux ?

Corrigez le sens de la phrase, s'il est faux.

1. Plus de la moitié des femmes françaises travaillent.
2. La femme française a les mêmes droits que l'homme.

3. Au début du mois d'août, M. et Mme Sullerot étaient au bord de la mer avec leurs enfants.
4. Mme Sullerot avait besoin d'argent pour partir avec ses enfants.
5. L'employée a refusé de donner l'argent à Mme Sullerot parce qu'une femme n'a pas le droit d'en recevoir par télégraphe.
6. Le fils de Mme Sullerot n'avait que sept ans.
7. L'employée a refusé l'argent au garçon aussi.
8. Le garçon n'a pas voulu donner l'argent à sa mère, et il a fini par le garder.

Questions

1. Pourquoi Mme Sullerot avait-elle besoin d'argent ?
2. Qui est-ce qui lui a envoyé un mandat télégraphique ?
3. Où est-elle allée chercher l'argent ?
4. Pourquoi l'employée ne pouvait-elle pas donner l'argent à Mme Sullerot ?
5. Quelle solution Mme Sullerot a-t-elle trouvée ?
6. Pourquoi l'employée a-t-elle donné l'argent au fils de Mme Sullerot ?

Points de vue

A discuter oralement ou par écrit.

1. L'employée du bureau de poste avait raison de ne pas donner l'argent à Mme Sullerot.
2. « Les femmes ont besoin des hommes, car sans eux elles n'existent même pas ! »
3. Aux États-Unis, la femme a les mêmes droits que l'homme.

24 / Du parfum pour les hommes

Il y a quelques générations un homme pensait qu'il n'était pas viril s'il portait du parfum. Tout ce qu'il voulait, c'était d'être propre et sans odeur. Ce sont les femmes qui ont changé cette attitude. Elles voulaient que les hommes, leurs hommes, sentent bon° : donc elles leur ont acheté du parfum. Résultat : la quantité de produits° de beauté pour hommes vendue en France a beaucoup augmenté ces dernières années.

    A présent les hommes veulent bien se parfumer, mais ils n'acceptent que des produits supérieurs. Le meilleur exemple de parfum masculin est la ligne « Pour Monsieur »

sentir bon avoir une bonne
   odeur
articles commerciaux

de Chanel. Ce nom, Chanel, qui représentait jusqu'à présent l'élégance féminine, est porté maintenant par toute une série de produits masculins : l'eau de Cologne, l'after-shave, le pré-shave, le savon,° le talc « Pour Monsieur ».

On se sert de savon pour se laver.

A cause de l'influence des femmes, un homme qui porte du parfum n'est plus une personne exceptionnelle et efféminée mais tout simplement un homme qui sent bon. Et le parfum n'est plus un symbole de classe ni de fortune. Mais cette notion de virilité parfumée est moderne ; elle n'est acceptée que par les nouvelles générations. Le grand acheteur de ces produits est donc le jeune Français.

[198 MOTS]   Adaptation d'un article du *Nouvel Observateur*

EXERCICES

Antonymes

Trouvez un antonyme.

A présent, les hommes *n'acceptent pas de* se parfumer. →
A présent, les hommes *veulent bien* se parfumer.

1. La quantité de produits a *diminué* ces dernières années.
2. Ce parfum sent *mauvais.*
3. Ils acceptent des produits *inférieurs.*
4. Ce jeune homme est un grand *vendeur* de parfum.
5. Cette notion de virilité parfumée est *ancienne.*

Tournures

A.   **Les femmes ont changé cette attitude.** →
       Ce sont les femmes qui ont changé cette attitude.

1. Les femmes leur ont acheté du parfum.
2. Les hommes préfèrent les produits supérieurs.
3. Les femmes influencent les hommes à acheter ces produits.
4. Les jeunes Français sont les plus grands acheteurs.
5. Les hommes sentent bon maintenant.

B. **Tous les jours on mettait du parfum.** →
   Il y a quelques jours, on a mis du parfum.

1. Toutes les semaines le nombre augmentait.
2. Tous les mois on achetait du Chanel.
3. Tous les six mois, la production augmentait.
4. Tous les huit jours, mon frère voulait bien prendre un bain.
5. Toutes les trois semaines, nous achetions un nouveau savon.

C. **Il y a quelques années, les hommes ne voulaient pas se parfumer.** →
   A présent, ils veulent bien se parfumer.

1. Il y a quelques années, on ne voulait pas porter du parfum.
2. Il y a quelques années, nous ne voulions pas « sentir bon ».
3. Il y a quelques années, les femmes ne voulaient pas leur acheter du parfum.
4. Il y a quelques années, les hommes ne voulaient pas changer leurs habitudes.
5. Il y a quelques années, tu ne voulais pas acheter du savon parfumé.

Questions

1. Qu'est-ce que les hommes pensaient du parfum masculin, il y a quelque temps ?
2. Qui a changé cette attitude ? Comment ?
3. Quelle ligne de produits pour la beauté masculine est citée comme exemple dans cet article ?
4. Selon l'article, les hommes qui portent du parfum sont-ils considérés comme efféminés aujourd'hui ?
5. Qui est le grand acheteur des produits de beauté masculine ?
6. Est-ce que tout le monde accepte ces produits ?

Discutons

A discuter oralement ou par écrit.

1. Que pensez-vous des produits de beauté masculine? (Comparer la réponse des garçons et des filles.)
2. Est-ce que le parfum masculin est accepté aux États-Unis ?
3. A votre avis, est-ce que ce sont les femmes qui incitent les hommes à se servir de produits parfumés ?

La maison des du Pont sur les bords de la Brandywine en 1803.

Eleuthère-Irénée du Pont

25 / Les du Pont

Si vous portez des bas de nylon... si vous conduisez une voiture... si vous jouez au base-ball ou au golf... chaque fois que vous ouvrez un paquet de cigarettes... vous vous servez d'un produit Du Pont.

La dynastie des du Pont est sans doute une des familles les plus riches et les plus anciennes des États-Unis ; peut-être la plus puissante. Elle a ses origines en France.

Le patriarche Pierre-Samuel du Pont de Nemours était l'ami des intellectuels les plus distingués de son temps : Franklin, Jefferson, La Fayette, le chimiste Lavoisier, le diplomate Talleyrand. C'est lui qui a servi d'intermédiaire entre Napoléon et le président Jefferson lors de la cession° de la Louisiane.

lors... au moment où on a cédé

Mis en prison pendant la Révolution française à cause de ses opinions, il a failli être guillotiné.° Une fois libéré, il est parti pour l'Amérique où son fils Victor était consul à Charleston.

il... il a presque été guillotiné

Pierre-Samuel, accompagné d'un autre fils, Eleuthère-Irénée (ce nom pittoresque est bien dans le style de l'époque), et de leurs femmes, s'est installé dans la vallée de la Brandywine. A cette époque l'état de Delaware était entièrement agricole, mais la terre dans la région ou habitaient les du Pont n'était pas bonne ; il fallait faire autre chose.

En France, Eleuthère-Irénée avait étudié la fabrication de la poudre à canon.° Visitant une poudrerie américaine, il a appris qu'on employait des méthodes anciennes ; et qu'on vendait la poudre au prix fort.° C'est alors qu'il a pris la décision de fabriquer un produit supérieur à celui des Américains. En 1800, il a trouvé des capitaux° et fondé son entreprise. Avec du courage, du travail, de la ténacité et de beaux mariages la famille a fait fortune.

poudre... substance explosive

au... cher

des... de l'argent

ELEUTHERIAN MILLS, built 1802.
UPPER HAGLEY MILLS, built 1812. — Manufactured by —
BRANDYWINE MILLS, built 1836.
LOWER HAGLEY MILLS, built 1828.

Grâce à° une administration experte les du Pont ont réussi, avant 1837, à acheter toute l'entreprise pour la famille. Elle est restée entièrement entre leurs mains jusqu'en 1899 quand on a formé la société E. I. (pour Eleuthère-Irénée) du Pont de Nemours and Co., Inc.

Grâce à à cause de

Cette société n'a jamais cessé° de se développer. La première grande expansion a eu lieu pendant la guerre de 1812. En 1858, ils ont fabriqué les premiers explosifs destinés aux canons de l'armée de l'Union. Et après la découverte° du trinitrotoluène (TNT) par Nobel en 1862, la Société Du Pont en a commencé la production.

n'a... ne s'est jamais arrêtée

invention

Entre-temps son administration a acheté tant d'autres entreprises d'explosifs qu'en 1911 le gouvernement, l'accusant d'être un monopole, l'a forcée à vendre une partie de ses intérêts. Trois sociétés ont été formées : Atlas, Hercules et Du Pont, dont la dernière est restée la plus grande des trois.

La Première Guerre Mondiale a marqué la période de sa plus grande expansion. De 1914 à 1918, 40 pour cent des explosifs utilisés par les Alliés venait de chez Du Pont. Mais Pierre-Samuel, le président de Du Pont, en avait assez d'être appelé « le Marchand de la Mort ». Il s'est mis à diversifier les produits que faisait Du Pont. D'abord il a acheté un grand nombre d'actions° de la société General Motors et de la U. S. Rubber Co. — actions que le gouvernement a obligé Du Pont à revendre en 1957.

shares of stock

Puis il a organisé une section de recherches et une section pour étudier les produits chimiques. Les résultats : la cellophane, le nylon, certaines plastiques. Aujourd'hui la Société Du Pont a plus de douze mille produits différents : des polyéthylènes, des produits chimiques agricoles, des détergents, des plastiques, des fibres synthéthiques.

L'entreprise qui avait commencé avec $30.000 en 1800 est aujourd'hui une compagnie de plus de $3.455.000.000.°

Lisez « trois milliards, quatre cent cinquante-cinq millions de dollars ».

Les membres de la famille n'oublient pas leur héritage. Ils apprennent tous l'histoire des du Pont, ils se marient souvent entre cousins, ils ont chaque année une grande réunion de famille le 31 décembre pour commémorer leur arrivée en Amérique. Et l'autorité suprême dans la Société Du Pont est toujours entre les mains de cette famille qui est peut-être la plus riche du monde.

[656 MOTS]   Adaptation d'un article de *Monde et Vie*

EXERCICES

Vocabulaire

Trouvez dans le texte le verbe qui convient.

On *porte* des bas de nylon.

1. On _____ une voiture.
2. On _____ au golf.
3. On _____ des méthodes anciennes ou nouvelles.
4. On _____ au prix fort.
5. On _____ fortune.
6. On _____ une décision.
7. On _____ une société.
8. Entre cousins, on ne _____ généralement pas.

Tournures

A.   **On a employé un produit Du Pont. → On s'est servi d'un produit Du Pont.**

1. Elle a employé un détergent.
2. Nous avons employé certaines plastiques.
3. Ils ont employé des fibres synthétiques.
4. J'ai employé une méthode nouvelle.
5. Vous avez employé des capitaux français.

B.   **On a presque guillotiné M. du Pont. → M. du Pont a failli être guillotiné.**

1. On a presque tué M. du Pont.
2. On a presque envoyé M. du Pont en Amérique.
3. On a presque guillotiné sa sœur.
4. On a presque mis son oncle en prison.
5. On a presque renvoyé son fils en France.

C.   **Est-ce que la famille du Pont est puissante ? →**
       Oui, c'est une des familles les plus puissantes des États-Unis.
  1. Est-ce que cet homme, M. du Pont, est riche ?
  2. Est-ce que la Société Du Pont est grande ?
  3. Est-ce que la Société Du Pont est diversifiée ?
  4. Est-ce que le nylon est un produit connu ?
  5. Est-ce que la Société Du Pont est bien administrée ?

Questions

  1. La famille du Pont était-elle importante en France ?
  2. Pourquoi Pierre-Samuel a-t-il quitté la France ?
  3. Quel changement a eu lieu en 1899 ?
  4. Qu'est-ce que le gouvernement a forcé la Société Du Pont à faire en 1911 ?
  5. Pourquoi a-t-on appelé Pierre-Samuel du Pont « le Marchand de la Mort » ?
  6. Quelles nouvelles sections Pierre-Samuel du Pont a-t-il organisées ?
  7. Quelles sortes de produits portent aujourd'hui la marque Du Pont ?
  8. Combien de milliards de dollars vaut l'empire Du Pont aujourd'hui ?
  9. Que font les du Pont tous les 31 décembre ?

Points de vue

  A discuter oralement ou par écrit.

  1. Le gouvernement a obligé la famille du Pont à vendre ses actions dans les sociétés General Motors et U. S. Rubber. A-t-il bien fait ?
  2. Pierre-Samuel du Pont a-t-il mérité d'être appelé « le Marchand de la Mort » ?
  3. Est-ce que le gouvernement devrait limiter la fortune qu'une seule personne (ou une seule famille) peut amasser ? L'influence qu'elle peut exercer ?
  4. Presque toutes les inventions peuvent être utilisées d'une manière constructive ou destructive. Appliquez cette règle aux produits Du Pont.
  5. Est-ce qu'une compagnie doit être tenue responsable de la manière dont ses produits sont utilisés ?

26 / Le beau dimanche de Chico

Le parc de la Tête d'Or° est un des plus beaux parcs d'Europe. C'est là que les Lyonnais (les gens de Lyon, troisième ville de France après Paris et Marseille) aiment passer le dimanche en famille pendant la belle saison. Ils se promènent, s'asseyent sur les bancs, vont sur le lac en petit bateau — ou bien, ils visitent le jardin zoologique, qui se trouve aussi dans le parc. Là, les animaux vivent dans des conditions de liberté relative — mais pas assez libre pour un certain chimpanzé. Alors, un beau dimanche...

Le... le nom du parc (**or** : métal jaune très précieux)

Chico le chimpanzé ne voulait plus rester dans sa cage par le beau temps qu'il faisait. Le gardien qui la nettoyait a tourné le dos un instant et Chico est parti. Comme c'était dimanche, beaucoup de familles lyonnaises se promenaient dans le parc de la Tête d'Or. Quand ils ont vu cet animal de quatre-vingt kilos,° ils se sont mis à courir devant lui. Quelle panique ! Mais Chico causait, à vrai dire, plus de peur que de mal. Lui aussi avait peur, et a essayé de se cacher chez les canards.° C'est là, entouré de canards affolés,° que le gardien l'a trouvé. Il a d'abord essayé de l'endormir en lui donnant à boire une mixture d'un litre de vin dans un litre de lait. Chico a tout bu avec plaisir, mais au lieu de s'endormir il a cruellement mordu° son gardien. Un vétérinaire est venu : deux projectiles soporifiques° ont endormi le chimpanzé. Chico a enfin trouvé la liberté... au pays des rêves.°

[248 MOTS]   Adaptation d'un article de *Paris-Match*

quatre-vingt... Un animal qui pèse quatre-vingt kilogrammes est aussi lourd qu'un homme.

canard

qui aient très peur

attaqué avec les dents

qui fait dormir

série d'images qu'on voit en dormant

EXERCICES

Vocabulaire

Essayez de vous souvenir du verbe qui se trouvait dans le texte.

Les gens *visitent* le jardin zoologique.

1. Quand il fait beau, les Lyonnais aiment _____ le dimanche dans le parc.
2. Un jour, Chico ne voulait plus _____ dans sa cage.
3. Le gardien lui a _____ le dos pendant qu'il _____ sa cage.
4. En voyant Chico en liberté, les gens se sont _____ à courir.
5. Deux projectiles soporifiques ont finalement _____ le chimpanzé.

Tournures

A. **Il s'est caché chez les canards. → Il a essayé de se cacher chez les canards.**

1. On se couche de bonne heure.
2. Ils se sont cachés dans leur cage.
3. Je me suis endormi.
4. Je me suis promené dans le parc.
5. Elle s'est assise dans le petit bateau.

B. **Ils ont bu tout un litre de vin. → Ils vont boire tout un litre de vin.**

1. Le lion a mordu son gardien.
2. On appelle le vétérinaire.
3. Ils ont couru aussi vite que possible.
4. Vous êtes venu nous voir.
5. Tu t'es endormi tout de suite.

Questions

1. Où se trouve le parc de la Tête d'Or ?
2. Comment peut-on s'amuser dans le parc ?
3. Quelles sont les conditions de vie des animaux dans le jardin zoologique ?
4. Comment Chico est-il parti de sa cage ?
5. Qu'est-ce que les Lyonnais ont fait lorsqu'ils ont vu un chimpanzé se promener dans le parc ?
6. Pourquoi Chico est-il allé chez les canards ?
7. Comment son gardien a-t-il essayé de l'endormir ?
8. Enfin, qui est venu endormir Chico ?
9. Où Chico a-t-il trouvé la liberté ?

27 / Antoine de Saint-Exupéry

« Avant d'écrire, il faut vivre. Écrire est une conséquence » disait Antoine de Saint-Exupéry. A la fois pilote et écrivain, mais surtout homme d'action, Saint-Exupéry est mort en 1941. C'était la guerre ; il était officier dans les forces aériennes, et un jour son avion n'est pas revenu d'un vol.°

voyage en avion

Saint-Exupéry (ses camarades aviateurs l'appelaient Saint-Ex) avait la passion de l'aventure, du combat entre l'homme seul et la nature : le soleil, le ciel, la pluie, le désert. Et l'aviation, qui était encore très peu développée, lui donnait l'occasion rêvée de combattre. Saint-Ex était pilote dans la Compagnie Aéropostale, qui a commencé un service de courrier° par avion entre l'Europe, l'Afrique et l'Amérique du Sud. On peut comparer le courage de ces premiers pilotes transatlantiques au courage des premiers cosmonautes. Saint-Ex s'est trouvé plusieurs fois perdu seul, dans le désert ou en haute montagne quand des difficultés techniques l'ont forcé à abandonner son avion.

de... postal

Albert Einstein a dit un fois à Consuelo, la femme de Saint-Ex : « Saint-Exupéry est l'homme qui peut sauver le monde. Parce qu'il est jeune et qu'il est complet. Il est mathématicien. Il est poète. Il a commandé des hommes... Il peut adapter l'homme à son invention : la machine. Et il sait écrire. »

Beaucoup des livres de Saint-Exupéry sont la conséquence de ses expériences dans l'aviation. L'action de ses histoires se passe° dans le désert (*Terre des hommes*) ou dans le ciel (*Vol de nuit*) : des endroits où l'homme se trouve seul et en danger. Un de ses camarades a dit de *Vol de nuit* : « C'est un hymne à l'homme, aux possibilités de l'homme. Quand j'ai un moment de dépression ou de découragement, je lis encore *Vol de nuit.* »

se... a lieu

Homme d'action, Saint-Ex avait aussi une compréhension profonde de l'importance des relations humaines. Son livre le plus connu, *le Petit Prince,* montre admirablement la beauté et la poésie du monde magique de l'enfance que l'on n'oublie jamais complètement. Nous le lisons tous avec plaisir, car nous gardons tous en nous un petit prince endormi.

[333 MOTS]   Adaptation d'un article de *Marie-France*

EXERCICES

Synonymes

Trouvez un synonyme.

Son avion n'est pas *rentré*. → Son avion n'est pas *revenu*.
1. Il est pilote et ingénieur *en même temps*.
2. Je n'ai pas reçu beaucoup de *lettres* aujourd'hui.
3. L'aviation lui donnait souvent *la possibilité* de combattre.
4. Tu ne m'as pas dit ce qui *s'est passé*.
5. Nous *sommes* seuls et en danger.

Tournures

A.   **Tout le monde le lit avec plaisir. → Nous le lisons tous avec plaisir.**
1. Tout le monde l'écoute avec plaisir.
2. Tout le monde l'étudie avec plaisir.
3. Tout le monde l'entend avec plaisir.
4. Tout le monde le regarde avec plaisir.
5. Tout le monde leur écrit avec plaisir.

B.   **Il aimait se trouver seul en face du danger. →**
       L'aviation lui donnait l'occasion de se trouver seul en face du danger.
1. Il aimait commander les hommes. → La guerre...
2. Il aimait combattre la nature. → L'accident dans le désert...
3. Il voulait faire des voyages transatlantiques. → Le service du courrier...
4. Il voulait être pilote. → La Compagnie Aéropostale...
5. Il aimait se sentir seul en face de la nature. → Son métier...

106

Questions

1. Comment les camarades de Saint-Exupéry l'appelaient-ils ?
2. Quelles étaient ses passions ?
3. Dans quels endroits est-ce qu'il s'est trouvé en danger ?
4. Expliquez l'opinion d'Einstein que Saint-Exupéry était un homme qui pouvait « sauver le monde ».
5. En quoi les livres de Saint-Ex sont-ils la conséquence de ses expériences ?
6. Qu'est-ce que son livre *le Petit Prince* nous montre ?
7. Comment Saint-Exupéry est-il mort ?

Points de vue

A discuter oralement ou par écrit.

1. Avez-vous lu un des livres de Saint-Exupéry ? Lequel ? Qu'en pensez-vous ?
2. Quelles qualités admirez-vous dans la vie et dans les livres de Saint-Ex ?
3. Le métier de pilote est-il très différent aujourd'hui ? Quelles sont les différences ?
4. Expliquez la phrase « Avant d'écrire, il faut vivre. Écrire est une conséquence ». Est-ce vrai à votre avis ? Est-ce que « vivre » veut dire connaître des aventures comme Saint-Exupéry ?

28 / Carnac

Dans le sud-ouest de la Bretagne, près de la mer, se trouve un des sites archéologiques les plus importants de France. C'est là, près de la ville de Carnac, que se dressent° ces grosses pierres appelées menhirs. Dans un seul groupe il y en a plus de onze cents, debout, formant de longues avenues. Les plus petites pierres n'ont qu'un mètre de haut ; les plus grandes en ont généralement quatre.

se... se tiennent debout

Qui a élevé ces milliers° de pierres ? La légende dit que c'est Saint-Cornély qui, après avoir traversé l'Europe poursuivi par des soldats ennemis, est enfin arrivé à la mer. Il a regardé les soldats qui s'approchaient° et a fait le miracle de les changer en pierre. Les soldats de pierre restent debout depuis ce temps-là. Seulement chaque année, la veille° de Noël, ils redeviennent des hommes et descendent un peu plus vers la mer.

plus de mille

venaient plus près

le soir avant

Voilà la légende. En fait,° on sait que ce sont des hommes qui ont élevé les menhirs. On sait aussi que l'orientation des avenues correspond au lever et au coucher du soleil au moment des solstices, formant ainsi une sorte de calendrier. Et on pense maintenant que les menhirs

en... à vrai dire

jouaient un rôle important dans les cérémonies des hommes de la préhistoire.

Voilà à peu près tout ce qu'on sait. La date des travaux de ces architectes reste un mystère. Quelques-uns disent qu'ils vivaient il y a plus de onze mille ans ; d'autres croient qu'ils ont fait leur travail il y a moins de deux mille ans. Mais c'est probablement pendant l'âge des métaux, peut-être deux mille ans avant J.-C. Cette date correspond à celle de Stonehenge, un site similaire en Angleterre.

[275 MOTS]   **Adaptation d'un article de *TOP***

EXERCICES

Synonymes

Trouvez un synonyme.

La date des travaux *n'est pas connue*. →
La date des travaux *reste un mystère*.

1. Le saint a *transformé* les soldats en pierre.
2. Les menhirs *se tiennent debout* près de la ville de Carnac.
3. *A vrai dire*, c'est à peu près tout ce qu'on sait.
4. Les menhirs, jouaient un rôle dans leurs *rites*.
5. *Pas loin* de la mer se trouve un site archéologique.

Tournures

A.   **On n'a pas beaucoup vu. → C'est tout ce qu'on a vu.**

1. Il n'a pas beaucoup dit.
2. On n'a pas beaucoup trouvé.
3. Nous n'avons pas beaucoup fait.
4. On n'a pas beaucoup compris.
5. Elle n'a pas beaucoup vu.

B.   *Utilisez* **après avoir.**

Il ont traversé l'Europe, puis ils sont arrivés à la mer. →
Après avoir traversé l'Europe, ils sont arrivés à la mer.

1. On a trouvé un site, puis on est descendu à la mer.
2. Il a vu les soldats, puis il a commencé à trembler.
3. Ils ont construit les menhirs, puis ils ont disparu.
4. Il a traversé l'avenue, puis il s'est caché derrière une grande pierre.
5. Ils ont élevé les menhirs, puis ils ont eu des cérémonies religieuses.

Vrai ou faux ?

Corrigez le sens de la phrase, s'il est faux.

1. Les menhirs se trouvent au sud-est de la Bretagne.
2. Ce site archéologique est loin de toute ville.
3. Toutes les pierres ont un mètre de haut.
4. La légende dit que le saint Cornély a changé des soldats en pierre.
5. Ce sont des soldats qui ont élevé les menhirs.
6. L'orientation des pierres ne signifie rien.
7. La date précise de la construction des avenues de menhirs est connue.
8. Le site près de Carnac a à peu près le même âge que celui de Stonehenge.

Questions

1. Où se trouve Carnac ?
2. Qu'est-ce que c'est qu'un menhir ?
3. Combien de menhirs y a-t-il à Carnac ?
4. Carnac ressemble à quel site en Angleterre ?
5. Quelle est la légende de Carnac ?
6. Pourquoi a-t-on élevé les menhirs ?
7. Quelle date donne-t-on pour la construction de Carnac et de Stonehenge ?

Points de vue

A discuter oralement ou par écrit.

Les légendes (pour expliquer des phénomènes comme Carnac) sont amusantes aujourd'hui, mais elles montrent que nos ancêtres n'étaient vraiment pas très intelligents.

29 / Les Français et le sport

Est-ce que la France est un pays sportif? Cela dépend. Pour rester à la maison et regarder à la télévision comment les autres jouent, oui. Mais sortir? Jouer? C'est bien différent. Une enquête° de SOFRES (Société française d'enquêtes par sondage°) l'a montré clairement.

investigation

enquêtes... *polls*

Vous arrive-t-il de regarder à la télévision ou d'écouter à la radio des épreuves sportives (match de football, de rugby, etc.)?

	%
— Oui, très ou assez souvent	50
— Oui, mais très rarement	31
— Non, jamais	19

   Le football (que les Anglo-Américains appelent « soccer ») reste le sport le plus suivi, même quand l'équipe° de France ne gagne pas. Un Français sur deux° suit les résultats des matches de football internationaux, nationaux ou locaux.

groupe de cinq joueurs

Un... ½ ; la fraction formée par 1 **sur** 2

Vous arrive-t-il d'aller assister° en
spectateur à des épreuves sportives ?

y aller en personne

	%
— Non, jamais	68
— Oui, mais très rarement	21
— Oui, très ou assez souvent	11

L'intérêt du spectateur se refroidit° à la porte de son
appartement. « Vous arrive-t-il d'aller assister en spectateur
à des épreuves sportives ? » Jamais, assurent 68 pour cent
des Français.

se... devient froid

Pratiquez-vous° régulièrement un
ou plusieurs sports ?

Pratiquez-vous jouez-vous à

	%
— Non, aucun sport	87
— Oui, un sport	10
— Oui, plusieurs sports	3

La pratique individuelle. « Pratiquez-vous régulièrement
un ou plusieurs sports ? » Réponse troublante : 87 pour cent
des personnes interrogées° ne pratiquent aucun sport.

questionnées

A votre avis, encourager les enfants
à faire du sport est-il... ?

	%
— Très important	64
— Assez important	32
— Pas très important	3
— Pas important du tout	1

Les parents ne font pas de sport eux-mêmes, mais ils croient que leurs enfants doivent en faire. Quatre-vingt-seize pour cent des Français considèrent qu'il est important ou très important d'encourager les enfants à faire du sport.

Le sous-développement sportif de la France peut-il changer ? C'est possible, car en analysant chiffre° par chiffre l'enquête de la SOFRES, on y trouve un symptôme encourageant. Soixante-quinze pour cent des Français qui ont plus de soixante-quatre ans n'ont jamais, de toute leur vie, pratiqué de sport ; pas même pendant leur adolescence. Ce chiffre est de 53 pour cent actuellement,° en ce qui concerne les jeunes de quinze à vingt ans. En cinquante ans la progression a donc été de 22 pour cent. Si cette progression continue, la France sera un pays très sportif — dans la seconde moitié du XXIe siècle.

1, 2, 3, etc.

maintenant

[369 MOTS] Adaptation d'un article de *l'Express*

EXERCICES

Synonymes

Trouvez un synonyme.

C'est une équipe *qui vient d'une seule région*. →
C'est une équipe *régionale*.

1. La France n'est pas un pays *qui aime faire du sport*.
2. Le football est le sport *auquel on fait le plus d'attention*.
3. Le sondage a découvert un résultat *qui nous donne du courage*.
4. La personne *à qui on a posé la question* n'a pas répondu.
5. La majorité des « sportifs » en France sont des *gens qui aiment regarder*.

Tournures

A.   **Le football est un sport très populaire en France. →**
En France, le football est un des sports les plus suivis.

1. Le football est un sport très populaire en Amérique.
2. Le hockey est un sport très populaire au Canada.
3. Le cyclisme est un sport très populaire en Italie.
4. Le base-ball est un sport très populaire au Japon.
5. Le basket-ball est un sport très populaire aux États-Unis.

B.   **Je pense qu'on doit pratiquer du sport. →**
A mon avis, on doit pratiquer du sport.

1. Il pense qu'on doit assister à l'épreuve sportive.
2. Tu penses, donc, qu'on doit regarder le match à la télévision ?
3. Ils pensent que le chiffre doit augmenter.
4. Elle pense que les jeunes doivent faire du sport.
5. Je pense que le sous-développement sportif de la France peut changer.
6. Nous pensons que la France sera un pays très sportif.

Questions

1. Peut-on dire que la France est un pays sportif ?
2. Comment a-t-on découvert les attitudes des Français envers le sport ?
3. Quel est le sport le plus suivi en France ?
4. Comment s'appelle le « football » européen aux États-Unis ?
5. Quel pourcentage de Français regardent souvent à la télévision des épreuves sportives ?

6. Le Français aime-t-il assister aux matches sportifs ?
7. Quel pourcentage de Français pratiquent régulièrement un sport ?
8. Est-ce que les Français croient qu'il est important d'encourager les enfants à faire du sport ?
9. En général, les jeunes Français pratiquent-ils plus de sports que leurs parents ?

Points de vue

A discuter oralement ou par écrit.

1. Les États-Unis sont un pays très sportif... trop, peut-être.
2. Faire du sport, c'est plus important pour les hommes que pour les femmes.
3. Certains sports comme le golf et le ski ne sont accessibles qu'aux gens riches.
4. L'importance qu'on attache aux sports dans les *high schools* et dans les universités américaines est excessive et parfois même ridicule.

30 / L'amour chez les Américains

Tout le monde s'intéresse à l'amour. Mais le mot « amour » ne veut pas dire la même chose pour tout le monde. Voici, par exemple, comment un diplomate et écrivain français très connu, André Maurois, voit les habitudes américaines envers° l'amour. Rappelez-vous que M. Maurois écrit pour des Français, pour des gens qui ne connaissent pas du tout les États-Unis, et qu'il a écrit cet article il y a plusieurs années. Est-ce que ses observations sont toujours justes, ou est-ce que les choses ont changé ?

°concernant

Les attitudes des Américains envers l'amour viennent de certaines traditions et des réactions contre ces traditions. La première tradition est celle des pionniers. Les pionniers arrivaient dans un pays neuf ; les femmes étaient rares et précieuses ; on devait les protéger° contre beaucoup de dangers. Ce désir de protection est devenu presqu'une religion de la Femme, surtout dans le Sud. La femme américaine est maintenant, légalement, l'égale° de l'homme, mais elle n'a pas perdu sa position privilégiée d'idole.

garder

égale : « = »

On peut voir cette « religion » de la Femme dans les petits gestes que font les hommes américains. Par exemple, tous les hommes présents se lèvent si une femme se lève. C'est là une détestable coutume,° parce qu'elle arrête la conversation. A table, l'homme doit avancer la chaise de sa voisine ; en vérité, cela n'aide pas beaucoup cette personne à se mettre à table. Dans la rue, l'homme doit descendre de la voiture pour ouvrir la portière° si une femme veut monter dans la voiture ou en descendre.

habitude

la porte d'une voiture

La jeune fille qui accepte de sortir avec un garçon riche reçoit souvent de lui une fleur qui coûte très cher (par exemple une orchidée) qu'elle portera à l'épaule gauche. Le garçon lui offre un dîner de luxe dans un restaurant très chic et après, on va danser dans la meilleure boîte de nuit.° Même si le garçon est pauvre, il dépense° beaucoup d'argent pour être sûr que la fille va bien s'amuser.

boîte... On va dans une boîte de nuit, le soir, pour danser et pour boire.
donne, paie

Mais l'amour le plus fort est, en Amérique, celui qu'on a pour sa mère. Dans cette civilisation, les mères sont dominantes. C'est dans ce pays qu'on a inventé le Jour des Mères, où chaque fils doit télégraphier à sa mère et lui envoyer un cadeau.°

cadeau

La seconde tradition est celle des Puritains. Il ne faut jamais oublier que la Nouvelle-Angleterre a été fondée par eux. Les Puritains avaient horreur de l'amour physique. A cause de leur influence, on ne trouve pas de livres dans la littérature américaine qui mentionnent l'amour physique avant 1900. La littérature a changé, mais le cinéma continue à subir° cette influence puritaine. On ne voit presque jamais de sensualité au cinéma, excepté les baisers,° qui ne

être la victime de

baiser baiser sur la **joue**   baiser sur la **bouche**

sont pas considérés comme importants. (Ceci est peut-être parce que le baiser sur la bouche remplace, en famille, notre baiser sur les joues, qu'on trouve assez ridicule !) Toutes les religions ont suivi l'exemple des Puritains en ce qui concerne la sévérité des mœurs.°

les habitudes et les valeurs d'une société

C'est pour ces raisons que jusqu'à la Première Guerre Mondiale, on ne discutait jamais de questions sexuelles. Vous trouverez encore cette attitude dans beaucoup de communautés rurales, dans certains milieux° de la Nouvelle-Angleterre et dans quelques groupes ethniques ou religieux. Mais depuis quelque temps, une violente réaction contre l'influence puritaine est évidente.

un groupe social ; par exemple, le milieu des artistes, des étudiants, etc.

Les jeunes filles ont toutes leurs *dates*, c'est-à-dire leurs rendez-vous avec des jeunes gens. Une jeune fille populaire a toujours beaucoup de cavaliers,° jusqu'au jour où *she goes steady*, c'est-à-dire sort toujours avec le même garçon, qui deviendra probablement son mari. L'idée qui vient naturellement à deux Américains qui s'aiment est de se marier. Le divorce est si facile ! Quelques semaines passées à Reno suffisent° pour effectuer° cette *cure*.

les jeunes hommes qui accompagnent les jeunes filles

sont assez /
exécuter, accomplir

[607 MOTS]   Adapté de *Savoir-vivre international*

Antonymes

Trouvez un antonyme.

Est-ce que c'est *blanc* ? → **Au contraire, c'est *noir*.**
Il est question de *divorce*. → **Au contraire, il est question de *mariage*.**

1. C'est une *grande ville*.
2. Elle veut *monter dans* la voiture.
3. Il s'agit de mœurs *indulgentes*.
4. Est-ce que c'est une coutume *agréable* ?
5. Les Puritains *aimaient bien* l'amour physique.

Tournures

A.   **C'est la tradition des pionniers.** → **Cette tradition est celle des pionniers.**

1. C'est la civilisation des Français.
2. C'est la littérature des Anglais.
3. C'est l'influence des Américains.
4. C'est la tradition des Puritains.
5. C'est l'observation de M. Maurois.

B.   **Il pense que l'amour est intéressant.** → **Il s'intéresse à l'amour.**

1. Nous pensons que les habitudes françaises sont intéressantes.
2. Je pense que votre réaction est intéressante.
3. Le garçon pense que cette jeune fille est intéressante.
4. Maurois pense que les mœurs des Puritains sont intéressantes.
5. Vous pensez que cette interprétation de l'amour est intéressante.
6. Tout le monde trouve l'amour intéressant.

Questions

1. Qui était André Maurois ?
2. Pour qui a-t-il écrit cet article ? Quand ?
3. D'après Maurois, quelle a été l'influence des pionniers sur nos attitudes envers l'amour ?
4. Quelle est la position de la femme dans notre société, selon Maurois ?
5. Comment peut-on voir « la religion » de la Femme ?
6. Quel est l'amour le plus fort en Amérique ?
7. Quelle a été l'influence des Puritains ?
8. Selon Maurois, qu'est-ce qui continue à subir l'influence puritaine ?

9. En général, Maurois trouve-t-il que les mœurs sont sévères en Amérique ?
10. D'après Maurois, où peut-on encore trouver une attitude provinciale sur les questions sexuelles ?
11. Pourquoi est-ce que les Américains se marient facilement ?

Points de vue

A discuter oralement ou par écrit.

1. Maurois a raison ; il y a une « religion » de la Femme aux États-Unis.
2. Aujourd'hui, la femme américaine est vraiment l'égale de l'homme.
3. Le cinéma américain continue à subir une influence puritaine.
4. Je suis d'accord avec Maurois : « les petit gestes » — se lever lorsqu'une femme entre dans la salle, avancer la chaise de la femme lorsqu'elle s'assied à table, etc. — sont absurdes.

31 / Les plaisirs du camping

Tous les ans, six millions de Français ferment leur porte à clef et quittent leur ville pour aller faire du camping. C'est l'équivalent de la population de Paris. Qu'est-ce que tous ces gens cherchent ? Pourquoi est-ce qu'ils quittent le confort de chez eux pour aller vivre inconfortablement sous une tente ? Voici les réflexions d'un de ces campeurs français.

Qu'est-ce que nous cherchons, nous les campeurs ? La première réponse à laquelle j'ai pensé, pendant que je roulais vers la campagne dans ma Citroën,° est la réponse psychologique. Considérez la vie dans une grande ville. Elle est triste, malsaine° et artificielle. Nous vivons les uns sur les autres, et en même temps nous sommes isolés,° car

marque de voiture française

mauvaise pour la santé

seuls

personne n'a le temps de s'occuper de nous. Et puis, nous sommes entourés d'ennemis psychologiques ; à l'intérieur, c'est le téléphone qui a le droit d'interrompre nos pensées et de nous parler quand il veut. A l'extérieur, c'est la circulation° qui nous menace et le bruit inévitable. Alors, quoi de plus naturel que de chercher, à l'époque des vacances, le contraire de tout cela : la solitude, le silence, la liberté, l'air frais de la campagne.

les voitures, les camions, etc.

Voilà à quoi je rêvais, en conduisant vers le terrain de camping. Mais quelle réalité ai-je trouvée en y arrivant ?

La solitude ? Dans mon terrain de camping il y avait, théoriquement, assez de place pour cinq cents personnes. A mon arrivée, plus de deux mille personnes y étaient déjà installées ! Impossible de trouver les quelques mètres qu'il fallait pour installer ma tente ! J'ai dû attendre le départ, en fin d'après-midi, d'une famille allemande, pour pouvoir enfin m'installer. Le lendemain, en me levant tôt, j'ai pu regarder le lever du soleil — entouré de plusieurs centaines d'autres campeurs. Après, nous nous sommes brossé les dents tous ensemble, ce qui a un peu détruit° l'aspect romantique de cette opération.

diminué, enlevé

Le silence ? N'en parlez pas ! Dans une tente, on entend tout, absolument tout : les radios à transistors, les cris d'enfants, les plaisanteries° des pères, les ordres des mères, les casseroles, les voitures. Je me suis vite aperçu que la ville après tout est bien plus calme, car on peut au moins fermer sa porte et ses fenêtres.

expressions drôles

L'année prochaine, si j'ai de l'argent j'irai dans un hôtel au bord de la mer ou à la montagne. Et si je n'ai pas d'argent, je resterai chez moi.

[391 MOTS]   **Adaptation d'un article du *Figaro Littéraire***

EXERCICES

Vocabulaire

Complétez la phrase avec un mot convenable.

Donnez la bonne *réponse* à la question.

1. Lorsqu'on habite sous une tente, on fait du _____.
2. On roule sur la route dans une _____.
3. On devrait _____ les dents après le repas.
4. La vie dans une ville moderne est _____.
5. Dans une tente, on peut _____ tout ce que font les voisins.

Famille de mots

Trouvez le substantif qui convient.

camper : Il y avait trop de *campeurs* là-bas.

1. circuler : Mais regardez toute cette _____ !
2. réfléchir : Voici quelques-unes de mes _____ au sujet du camping.
3. arriver : J'ai commencé à chercher dès mon _____.
4. partir : Il fallait attendre le _____ de quelqu'un.
5. plaisanter : J'ai entendu les _____ des pères.

Tournures

A.   **J'ai de l'argent ; je vais dans un hôtel.** →
           Si j'ai de l'argent, j'irai dans un hôtel.

1. J'ai le temps ; je fais une promenade.
2. Il a de l'argent ; il fait du camping.
3. Nous n'avons pas d'argent ; nous restons chez nous.
4. Il y a trop de monde ; je rentre chez moi.
5. J'attends ton départ ; je suis en retard.

B.   **Lorsqu'il roulait dans sa voiture, il a vu un terrain de camping.** →
           En roulant dans sa voiture, il a vu un terrain de camping.

1. Lorsqu'il s'approchait, il a vu la tente.
2. Lorsqu'il fermait la porte, il a entendu sonner le téléphone.
3. Lorsqu'il sortait de la ville, il a vu un accident d'automobile.
4. Pendant qu'il parlait, il nous a montré des photos.
5. Pendant qu'il installait sa tente, il écoutait la radio.

Questions

1. Combien de Français font du camping chaque année ?
2. Pourquoi est-ce que le campeur n'aime pas la vie dans la ville ?
3. Que cherche-t-on à la campagne ?
4. Quelle situation le campeur a-t-il trouvée en arrivant au terrain de camping ?
5. Qu'est-ce qui lui est arrivé le lendemain ?
6. Quelles sortes de bruit pouvait-il entendre ?
7. Pourquoi le campeur a-t-il enfin décidé que la ville est plus calme, après tout ?

Points de vue

A discuter oralement ou par écrit.

1. La vie moderne est trop mécanisée, trop loin de la nature. Tout le monde devrait faire du camping pour rester en contact avec la nature.
2. Maintenant qu'il y a le téléphone, il n'y a plus de vie privée.

32 / Testez votre patience

La vie est compliquée et pleine de problèmes. Mais de tous ces problèmes on peut faire des catastrophes ou des incidents négligeables. Quelle est votre tendance ? Vous allez le savoir.

1
**Vous voulez prendre votre bain,
mais il n'y a plus d'eau chaude.**

    a. Vous faites une scène à votre sœur qui vient de prendre son bain : « Te faut-il toujours autant d'eau ? Il y en aurait assez pour un régiment ! »

    b. Vous faites chauffer° de l'eau à la cuisine pour la porter ensuite à la salle de bains.

    c. Vous décidez de ne pas prendre de bain ce jour-là.

faites... mettez sur le feu

2
Vous préparez un examen. Votre mère vous demande d'aller au magasin.

a. Vous vous mettez en colère : « C'est toujours moi qui travaille ici ! On me prend pour un idiot. J'ai autre chose à faire... »

b. Vous allez trouver votre sœur et lui demandez : « Veux-tu aller au magasin pour moi ? Je mettrai la table à ta place demain. »

c. Vous protestez pour la forme mais vous y allez : « Après tout, cinq minutes de moins ne va pas faire une grande différence. »

3
Vous comptez aller au cinéma avec un ami. Il vous téléphone à la dernière minute pour vous dire qu'il ne peut pas sortir.

a. Vous vous mettez très en colère et lui dites que vous aurez une juste vengeance.

b. Vous essayez en vain de le faire revenir sur sa décision, mais finalement vous allez seul au cinéma.

c. Vous lui dites gentiment : « On sortira un autre soir », et vous continuez de lire un livre que vous avez commencé.

4
Vous venez de terminer votre dissertation° quand vous remarquez une faute à la première page.

devoir qu'on écrit à l'école

a. Furieux, vous jetez la dissertation par terre.

b. Vous passez cinq minutes à corriger la faute.

c. Vous ne vous tourmentez pas, pensant que « Le professeur ne la verra pas ».

5
Au moment de sortir vous remarquez qu'il manque un bouton à votre chemise.

a. Vous changez de chemise et de cravate tout en dénonçant° très fort et avec véhémence toutes les chemises mal faites.

disant du mal de

b. Vous la réparez aussi vite que possible en disant tout bas un mot peu agréable.

c. Vous partez sans plus y penser. « Après tout, personne ne le verra. »

Avez-vous répondu plus de trois fois *a* ? Dieu, que vous êtes violent et difficile à vivre ! Il ne faut qu'un petit incident pour vous mettre en fureur.°

mettre... rendre furieux

Avez-vous répondu plus de trois fois *b* ? Vous n'êtes pas

la patience faite homme (ou femme), mais vous avez des réactions positives et intelligentes.

Avez-vous répondu plus de trois fois *c* ? Vous êtes d'un tempérament facile et arrangeant. Un peu paresseux° aussi, sans doute.°

qui n'aime pas travailler

sans... probablement

[423 MOTS]   Adaptation d'un article de *TOP*

EXERCICES

Tournures

A.   **Je travaille toujours. → C'est toujours moi qui travaille !**

1. Nous travaillons toujours.
2. Vous faites toujours des fautes.
3. Tu lui parles toujours.
4. Je vais toujours au magasin.
5. Il prend son bain le premier.
6. Je mets la table.

B.   **On me prend pour un idiot. → On pense que je suis un idiot.**

1. Vous me prenez pour un imbécile.
2. Tu me prends pour un génie.
3. Ils me prennent pour un grand spécialiste.
4. Je le prends pour un étudiant consciencieux.
5. Je les prends pour des étudiants consciencieux.
6. Tu la prends pour une personne très sympathique.

C.   **J'ai quelque chose d'autre à faire. → J'ai autre chose à faire.**

1. Avez-vous quelque chose d'autre ?
2. Il m'a montré quelque chose d'autre.
3. Ils préfèrent faire quelque chose d'autre.
4. Elle a demandé quelque chose d'autre à lire.
5. Je vais chercher quelque chose d'autre pour vous.

Vrai ou faux ?

Corrigez le sens de la phrase, s'il est faux.

1. Dans la première situation, il ne reste que de l'eau froide.
2. Dans la deuxième situation, vous êtes en train d'étudier.
3. Dans la troisième situation, l'ami téléphone bien à l'avance pour vous dire qu'il ne peut pas venir.
4. Dans la quatrième situation, vous remarquez une faute vers la fin de votre dissertation.
5. Dans la cinquième situation, vous vous rendez compte que votre chemise est mal construite.

Questions

Essayez de répondre sans consulter le texte.

1. On peut caractériser chaque réponse de « violente », « active » ou « passive ». Dans le cas où l'on découvre une faute dans sa dissertation, quelle est la réaction violente ?
2. Si votre ami vous téléphone à la dernière minute pour vous dire qu'il ne peut pas sortir, quelle est la réaction passive ?
3. S'il ne reste plus d'eau chaude au moment où l'on veut prendre un bain, quelles sont les réactions possibles ?
4. Si on est paresseux, qu'est-ce qu'on fait lorsqu'on trouve qu'un bouton manque à sa chemise ?
5. Quelle sorte de personne répond toujours *a* ? Toujours *b* ? Toujours *c* ?

Points de vue

A discuter oralement ou par écrit.

1. On exagère beaucoup dans cet article, car à chaque situation il y a d'autres façons de réagir. Par exemple...
2. On dit que si vous avez répondu plus de trois fois *c*, vous êtes « un peu paresseux ». Pourquoi ?

33 / Le « Chunnel »

Enfin, après cent soixante-cinq ans d'hésitation, on va construire un tunnel sous la Manche,° le « Chunnel » comme
l'appellent les Anglais. Sa construction a été proposée pour
la première fois en 1802, mais l'affaire n'a été étudiée
sérieusement qu'en 1961. Il était alors question de choisir
entre un tunnel et un pont. Après trois ans d'études on a
décidé de construire un tunnel. Un pont coûterait trop cher
et les risques d'accident avec le nombre de bateaux qui
naviguent sur la Manche seraient trop grands.

la mer qui sépare la France
de l'Angleterre

Voici le modèle réduit de la station terminale française du Tunnel sous la Manche. A gauche, la gare d'arrivée. A droite, la sortie du tunnel. Un train sort...

Il faut noter, cependant,° que le tunnel ne sera pas une route sous la Manche, mais plutôt un chemin de fer.° On montera les voitures sur des trains capables de transporter plusieurs centaines° de véhicules, en tout jusqu'à 4 500 voitures par heure dans chaque sens.°

Le tunnel, qui débouchera° près de Calais et qui aura cinquante et un kilomètres de long, sera très important pour l'économie du Nord de la France. D'abord, sa construction permettra d'employer un grand nombre de personnes. Ensuite, la région deviendra le site d'industries nouvelles. Enfin, le grand nombre de voitures qui viendront dans cette région à cause du tunnel exigera° la construction de deux nouvelles autoroutes. L'une ira de Calais vers l'est jusqu'à Cologne, l'autre d'Amsterdam à Rouen.

toutefois, pourtant
chemin... train

centaine à peu près cent
direction
sortira

nécessitera

Non seulement la France et l'Angleterre, mais toute l'Europe attendent le jour où l'on pourra rapidement traverser la Manche. On espère que ce jour viendra en 1977.

[235 MOTS]

Adaptation d'articles de *l'Express* et du *Nouvel Observateur*

EXERCICES

Famille de mots

Quel verbe correspond à chacun des substantifs suivants ?

hésitation → hésiter

1. navigation
2. notation
3. formation
4. séparation
5. adaptation

Tournures

A.   **La nouvelle autoroute ne va pas plus loin que Cologne. →
La nouvelle autoroute va jusqu'à Cologne.**

**Les trains ne pourront pas transporter plus de 4 500 voitures. →
Les trains pourront transporter jusqu'à 4 500 voitures.**

1. La vieille autoroute ne va pas plus loin que Dijon.
2. La nouvelle n'ira pas plus loin que Lyon.
3. Le chemin de fer ne va pas plus loin que Strasbourg.
4. Le tunnel n'ira pas plus loin que Calais.
5. Ma voiture ne peut pas transporter plus de six personnes.
6. Les nouveaux avions ne sont pas capables de transporter plus de six cents voyageurs.
7. Ce bateau ne peut pas transporter plus de trois cents voitures.
8. Ce train ne peut transporter plus de cinq cents personnes.

B.   voitures, nouvelles autoroutes →
        **Le grand nombre de voitures exigera la construction de nouvelles auto-
        routes.**
    1. étudiants, nouvelles universités
    2. bateaux, nouveaux ports
    3. voitures, nouveaux ponts
    4. habitants, nouveaux appartements
    5. industries, nouveaux chemins de fer

Vrai ou faux ?

Corrigez le sens de la phrase, s'il est faux.

1. Un tunnel sous la Manche coûterait plus cher qu'un pont.
2. Après la construction du tunnel il n'y aura plus de bateaux sur la Manche.
3. On pourra conduire sa voiture dans le tunnel.
4. Le tunnel aura plus de cinquante kilomètres de long.
5. Les trains pourront aller dans les deux sens à la fois.
6. L'une des nouvelles autoroutes ira en Allemagne, l'autre en Hollande.

Questions

1. Quand a-t-on proposé un tunnel sous la Manche pour la première fois ?
2. Pendant combien de temps a-t-on sérieusement étudié la question d'un
   tunnel sous la Manche?
3. Pour quelles raisons a-t-on décidé de construire un tunnel au lieu d'un
   pont ?
4. Quels seront les effets du tunnel sur l'économie du Nord de la France ?
5. Où est-ce que le tunnel débouchera en France ?
6. Quand espère-t-on finir la construction du tunnel ?

Discutons

A discuter oralement ou par écrit.

1. Comment préféreriez-vous traverser la Manche : dans un tunnel, sur un
   pont ou en bateau ? Pourquoi ?
2. Quelle sera, à votre avis, l'influence de ce tunnel sur les relations entre
   l'Angleterre et le continent : Relations économiques ? Relations humaines ?
   Est-ce que l'Angleterre s'éloignera des États-Unis en s'approchant de
   l'Europe ?

34 / Quatre élèves
qui n'ont pas réussi
au « bachot »

En France, un élève doit réussir à l'examen qui s'appelle le baccalauréat (familièrement, le « bac » ou le « bachot ») avant de pouvoir entrer à l'université. Est-ce important ? C'est plus qu'important ; c'est un drame dans la vie de chaque jeune Français. Tout son avenir en dépend.

On passe l'examen° dans toute la France au même moment ; les copies des élèves sont ensuite corrigées non pas par leurs professeurs à eux, mais par des « correcteurs » qu'ils ne connaissent pas — et qui ne les connaissent pas. Le bac étant un examen difficile, il y a toujours une proportion considérable d'élèves qui échouent.° Voici quatre jeunes Français qui ont échoué, et qui nous expliquent pourquoi.

passe... se présente à l'examen

(échouer) le contraire de réussir

JEAN-FRANÇOIS (dix-sept ans, élève au lycée° Carnot à Paris)

« Je n'ai pas pris le bac au sérieux, c'était le premier examen que je passais, et je croyais que j'aurais la chance de réussir. J'aurais dû lire et étudier au lieu de me passionner° pour le sport. Je voudrais devenir coureur automobile,° mais ma famille veut pour moi le bachot et une profession sérieuse. Mes parents s'intéressent beaucoup aux notes° que je reçois mais ils ne s'intéressent pas au travail qu'il faut faire pour les recevoir. Trop souvent je n'ai pas bien fait mon travail. Je me disais : ‹ Demain il ne sera pas trop tard. › »

école secondaire

me... m'intéresser, m'enthousiasmer
coureur...

évaluations que le professeur fait du travail de l'élève

ÉLISABETH (dix-huit ans, élève au lycée Fénelon à Paris)

« C'est la première fois que je ne réussis pas dans les études, et j'ai perdu toute assurance. J'ai toujours été bonne élève ; j'ai très bien préparé l'examen. Je connaissais les sujets qu'on m'a demandés, mais je ne voulais pas oublier le détail, et je n'ai pas réussi à organiser mes compositions. Mon esprit est peut-être mal fait, mais il a été formé par

notre système d'éducation qui nous demande d'apprendre par cœur et de ‹ bachoter ›.° Notre éducation ne nous permet pas de réfléchir.° Si l'on oublie quelques détails au moment de l'examen, c'est la catastrophe. »

étudier jour et nuit juste avant le bachot ; surtout apprendre beaucoup de détails par cœur
penser

DIDIER (dix-huit ans, élève au lycée Carnot à Paris)

« Zéro en ‹ maths ›, et un père qui justement enseigne cette discipline ? Bien sûr, je ne suis pas brillant en mathématiques, mais le jour de l'examen, devant la feuille blanche, j'ai eu tellement peur que je n'ai pas pu calculer. Mes parents, mes professeurs et mes amis ne veulent pas croire que les maths sont trop difficiles pour moi. Le bac a été la minute de vérité. Mais je veux être médecin, et, pour entrer dans cette profession, il faut réussir au bac. Alors cette année mon père me donne des leçons particulières. »°

données à un seul élève

LAURETTE (dix-huit ans, élève au lycée Victor Duruy à Paris)

« J'ai toujours reçu de très bonnes notes en français. Mais au baccalauréat, le correcteur m'a donné quatre points sur vingt. Je n'arrive pas à comprendre pour une deuxième raison : c'est que j'avais traité le même sujet de composition° quelques mois avant le bac. La seule raison possible pour cette mauvaise note est que j'écris très mal. J'écris avec la main gauche, et quand j'étais jeune, j'ai eu beaucoup de difficulté à apprendre à écrire d'une façon lisible.° Je dois toujours faire très attention pour écrire lisiblement. Peut-être le correcteur n'a-t-il pas pu lire mes compositions ? »

j'avais... j'avais écrit une composition sur le même thème

qu'on peut lire facilement

[524 MOTS]   Adaptation d'un article de *Réalités*

EXERCICES

Définitions

se présenter à un examen : passer un examen.
1. en France, l'examen auquel on doit réussir avant de pouvoir entrer à l'université : _____.
2. une personne qui corrige les examens : _____.
3. l'évaluation qu'on reçoit à la fin d'un cours : _____.
4. s'intéresser beaucoup : _____.
5. une personne qui conduit une voiture dans une compétition d'automobiles : _____.

Tournures

A.   **On doit être reçu à l'examen. Ensuite on peut entrer à l'université. →**
         On doit être reçu à l'examen avant de pouvoir entrer à l'université.
1. On doit attendre quelques mois. Ensuite on peut repasser le bachot.
2. On doit savoir organiser ses idées. Ensuite on peut écrire de bonnes compositions.
3. On doit connaître la grammaire. Ensuite on peut écrire de bonnes compositions.
4. On doit beaucoup bachoter. Ensuite on peut se présenter avec confiance.
5. On doit savoir calculer. Ensuite on peut étudier les maths.

B. **Est-ce que ce sont *leurs professeurs* ou les vôtres ?** →
Ce sont leurs professeurs à eux.

Est-ce qu'on a vu *nos résultats* ou les leurs ? →
On a vu nos résultats à nous.

1. Est-ce qu'il a corrigé *ses examens* ou les nôtres ?
2. Est-ce que le professeur a donné *son opinion* ou la leur ?
3. Est-ce qu'elle a corrigé *sa composition* ou la vôtre ?
4. Est-ce qu'ils ont vu *leur note* ou la mienne ?
5. Est-ce qu'elle a pris *mon sujet* ou le tien ?

C. **Je ne comprends pas les maths.** → **Je n'arrive pas à comprendre les maths.**

1. Je n'écris pas d'une façon lisible.
2. Elle n'organise pas ses compositions.
3. Ils ne réfléchissent pas.
4. Je ne l'apprends pas par cœur.
5. Il n'étudie pas jour et nuit avant le bac.

Questions

1. Pourquoi le bac est-il si important pour les jeunes Français ?
2. Qui corrige les copies ?
3. Est-ce que tout le monde est reçu au bachot ?
4. Pourquoi est-ce que Jean-François a échoué ?
5. Qu'est-ce qu'il veut faire comme profession ?
6. Pourquoi est-ce qu'Élisabeth a échoué ?
7. Qu'est-ce qu'elle n'aime pas dans le système d'éducation ?
8. A quel examen Didier a-t-il échoué ?
9. Pourquoi est-ce ironique ?
10. Comment va-t-il essayer d'apprendre les maths ?
11. A quelle partie du bac Laurette a-t-elle échoué ?
12. Pourquoi est-ce difficile à comprendre ?
13. Quelle explication donne-t-elle ?

Points de vue

A discuter oralement ou par écrit.

1. On peut passer le bachot une deuxième fois. Entre ces quatre élèves, qui va réussir la prochaine fois ? Pourquoi ?
2. Le bachot se compose de questions où il faut écrire des compositions. Est-ce plus difficile que le système des tests américains « à choix multiple » où l'on choisit une des réponses données ? Quelle méthode est la plus juste ?
3. Les parents de Jean-François n'ont pas raison de le forcer à préparer le bac pour entrer dans une profession « sérieuse ». S'il veut être coureur automobile, ses parents ne doivent rien dire.

35 / L'argent de poche

Les jeunes Français ont besoin de plus d'argent. Ils ne sont pas les seuls, évidemment, mais c'est un problème nouveau en France. Ce pays, qui après la guerre était assez pauvre, commence de nouveau à avoir l'air riche. Et pour la première fois, les jeunes croient qu'ils ont le droit d'acheter des produits nouveaux, des articles de luxe. La publicité sollicite surtout les jeunes de quinze à vingt ans, car ils ont maintenant un pouvoir d'achat° important.

pouvoir... *buying power*

Pour le jeune Français, la source principale d'argent c'est les parents. A seize ans, un jeune homme reçoit, en moyenne, quatre-vingts francs par mois ; une jeune fille, soixante francs.°

quatre-vingts francs = $16.00 ; soixante francs = $12.00 (environ)

Cette somme, qui est assez considérable, serait suffisante — si on se mettait d'accord sur la façon de la dépenser. Les parents veulent que leurs enfants achètent des choses « raisonnables » : livres, disques de musique classique, activités sportives, places de théâtre ou de cinéma. Les jeunes, au contraire, ont des besoins immédiats à satisfaire : disques de chanteurs à la mode, cigarettes, journaux, « gadgets ». Les parents disent que l'enfant « n'a qu'à demander » s'il veut acheter ces choses-là ; mais l'enfant ne veut pas être obligé de demander, et voilà une cause de friction dans bien des familles.

Il est difficile de résister à la publicité ; si difficile que certains jeunes Français sont prêts à aller à la source pour trouver l'argent qu'il leur faut. Ils se débrouillent° — en cherchant dans les poches de papa, en même, si le besoin est urgent, dans le sac de maman. L'exploration attentive du sofa peut aussi donner quelques pièces de monnaie.° Mais, en général, ce n'est pas assez. Alors beaucoup d'adolescents prennent des marchandises° dans les magasins en oubliant de les payer. D'autres volent des livres pour les revendre ensuite ; certains vendent même leurs livres de classe. Mais tout ceci est dangereux et n'est pas une source d'argent sûre.

se... s'arrangent, trouvent une solution

 pièces de monnaie

produits, articles

Le « teen-ager » (comme on commence à l'appeler maintenant) préférerait un « job » à l'américaine. Une occupation payante, qui lui permettrait d'acheter honnêtement° ce qu'il veut.

sans subterfuge

En France, on est encore assez hostile à cette idée. Dans les familles bourgeoises, pas même de discussion : « Cela ne se fait pas » — c'est tout ! C'est le père qui gagne l'argent de la famille et ni la mère ni les enfants ne doivent travailler.

La société doit prendre une décision. Ou bien accepter que les jeunes personnes travaillent pour satisfaire leurs besoins,° ou bien fermer hypocritement les yeux sur la situation abusive qui existe à présent.

satisfaire... acheter les choses qu'ils désirent

[407 MOTS]   Adaptation d'un article de *l'Express*

EXERCICES

Synonymes

Trouvez un synonyme.

Cette somme d'argent est *grande*. → Cette somme d'argent est *considérable*.

1. Les jeunes Français réussissent à *trouver une solution*.
2. *On ne doit pas faire cela*.
3. Nous avons assisté à un concert d'un chanteur *qui est populaire mainte-nant*.
4. Les jeunes doivent *arriver à* une décision.
5. Il a pris *des articles* sans les payer.

Tournures

A. **On va le faire comme on le fait en Amérique. →**
    On va le faire à l'américaine.

1. Ce garçon porte un pantalon comme on les porte en France.
2. Marie a fait un dîner comme on les fait en Angleterre.
3. Nous nous sommes habillés comme on s'habille en Italie.
4. Le cuisinier a fait une soupe comme on les fait en Espagne.
5. Les teen-agers ont dansé comme on danse en Amérique.

B. **Beaucoup de jeunes gens ont besoin d'argent. →**
    Bien des jeunes gens ont besoin d'argent.

1. Beaucoup de parents donnent des sommes considérables à leurs enfants.
2. Beaucoup de jeunes gens achètent des choses « raisonnables ».
3. Beaucoup d'adolescents prennent des marchandises sans les payer.
4. Beaucoup d'étudiants revendent leurs livres de classe.
5. Beaucoup de familles n'acceptent pas que leurs enfants gagnent de l'argent.

C. **La seule chose que vous devez faire, c'est de demander. →**
    Vous n'avez qu'à demander.

1. La seule chose qu'elles doivent faire, c'est de travailler davantage.
2. La seule chose que tu dois faire, c'est de venir nous voir.
3. La seule chose qu'il doit faire, c'est de prendre une décision.
4. La seule chose que je dois faire, c'est de me débrouiller.
5. La seule chose que vous devez faire, c'est de résister à la publicité.

Questions

1. Pourquoi est-ce que le besoin d'argent chez les jeunes est un problème nouveau en France ?
2. Pourquoi y a-t-il une publicité importante dirigée vers les jeunes ?
3. D'où vient généralement l'argent des jeunes Français ?
4. Combien d'argent reçoit-on, en moyenne ?
5. Qu'est-ce que les parents veulent que leurs enfants achètent ?
6. Qu'est-ce que les jeunes préfèrent acheter ?
7. Quand ils ont besoin d'argent, comment est-ce que les jeunes gens se débrouillent ?
8. Pourquoi les jeunes Français ne travaillent-ils pas, en général ?
9. Quels sont les choix que la société a devant cette situation abusive ?

Points de vue

A discuter oralement ou par écrit.

1. Le « pouvoir d'achat » des jeunes Américains entre quinze et vingt ans est énorme. Comment le sait-on ?
2. Les parents qui donnent de l'argent à leurs enfants après l'âge de douze ans leur font une grande injustice. Les jeunes doivent apprendre tôt qu'il faut gagner de l'argent pour en avoir.
3. Selon l'article, le vol est un problème grave chez les jeunes Français. Le vol est-il aussi un problème aux États-Unis ?

36 / Une journée
de la famille Durand

La famille Durand dort encore. Dans la toute petite cuisine de l'appartement où habitent les Durand, le réveille-matin continue son tic-tac familier. A côté du réveille-matin il y a une enveloppe ouverte, où il reste un peu d'argent. Hier était jour de paie pour M. Durand, qui travaille chez Simca.

— Six heures : Le réveille-matin sonne. M. Durand se lève, fait sa toilette,° s'habille. Il mange quelques tartines° et boit rapidement du café au lait chauffé sur le gaz.

fait... se lave, se brosse les dents, etc.
morceaux de pain avec du beurre, du fromage, etc. dessus

M. Durand quitte rapidement son appartement car son travail l'attend. S'il a de la chance, il pourra prendre l'autobus qui l'amènera directement à l'usine Simca ; autrement, s'il n'y a plus de place dans l'autobus, il devra courir pour prendre le Métro° jusqu'à la gare, et ensuite le train.

(abréviation de **Métropolitain**) chemin de fer souterrain dans une ville

— Sept heures trente : Mme Durand, levée depuis quelques instants, réveille ses deux garçons. Toilette, petit déjeuner, et c'est le départ pour l'école. Mme Durand accompagne ses enfants à l'école, puis elle s'arrête au marché pour acheter la nourriture de la famille.

Ménagère° attentive, Mme Durand passe à la Caisse d'Epargne° pour y laisser une part de la paie de son mari. Il faut encore passer au bureau de poste pour envoyer le dernier paiement sur la machine à laver américaine, achetée à crédit.

— Dix-huit heures : A l'usine Simca, la sirène signale que la journée de travail de M. Durand est terminée ; après neuf heures de travail il peut rentrer chez lui. A la maison, les enfants s'amusent ; Mme Durand fait son budget. Elle pense un instant à tout ce qu'elle pourrait acheter si son mari gagnait plus d'argent ou si le gouvernement ne retenait° pas une partie de son salaire. Mais, se dit-elle, quand notre petit garçon a été malade nous avons bien reçu de l'argent de la Sécurité sociale. Et l'argent que nous recevons comme allocation familiale° nous est très utile.

une femme qui reste à la maison et s'en occupe

Caisse... sorte de banque où l'on place de l'argent pour recevoir des intérêts

gardait

allocation... l'argent qu'une famille reçoit du gouvernement pour l'aider à élever ses enfants

— Vingt heures : Les enfants sont au lit. M. Durand lit son journal pendant que Mme Durand range° les assiettes et les verres. Ils vont maintenant regarder un programme d'actualités° à la télévision avant d'aller dormir.

Encore une journée qui se termine chez les Durand.

remet en place

actualités... les dernières nouvelles

[352 MOTS]   Adaptation d'un article de *Servir*

EXERCICES

Synonymes

Trouvez un synonyme.

M. Durand *sort de* l'usine. → **M. Durand** *quitte* l'usine.
1. Il *sera obligé de* prendre l'autobus.
2. Les enfants sont *couchés*.
3. J'écoute *les dernières nouvelles* à la radio.
4. Elle doit *aller* au bureau de poste.
5. *Il y a encore* un peu d'argent dans l'enveloppe.

Tournures

A.   **La cuisine des Durand est petite.** →
          La cuisine des Durand est toute petite.

          Ils ont un petit chien. → **Ils ont un tout petit chien.**
1. Les Durand ont un petit garçon.
2. Elle met un petit peu de leur argent à la Caisse d'Épargne.
3. Mon enfant dort dans un petit lit.
4. La fille des Durand est petite.
5. Nous recevons une petite allocation.

B.   **Les Durand ont besoin de l'allocation familiale.** →
          L'allocation familiale leur est très utile.
1. Mme Durand a besoin de la machine à laver.
2. Son mari a besoin du réveille-matin.
3. Les Durand ont besoin d'un budget.
4. Ils ont besoin de la Sécurité sociale.
5. J'ai besoin de ma voiture.

146

C.   **S'il a de la chance, il pourra prendre l'autobus.** →
      S'il avait de la chance, il pourrait prendre l'autobus.

1. S'il n'y a plus de place dans l'autobus, il devra prendre le Métro.
2. Si son mari gagne plus d'argent, elle pourra acheter plus de choses.
3. Si leur petit garçon est malade, ils recevront de l'argent du gouvernement.
4. Si vous vous dépêchez, vous pourrez prendre le dernier train.
5. Si elle accompagne ses enfants à l'école, elle passera aussi au bureau de poste.

Transposition

Mettez au passé les trois premiers paragraphes de l'histoire.

Questions

1. Qui se lève le premier chez les Durand ? Pourquoi ?
2. A quelle heure M. Durand se lève-t-il ?
3. Que fait-il après s'être levé ?
4. Comment M. Durand va-t-il à son travail ?
5. Où travaille-t-il ?
6. Quelles courses Mme Durand fait-elle après avoir accompagné ses enfants à l'école ?
7. Pourquoi passe-t-elle au bureau de poste ?
8. A quelle heure M. Durand quitte-t-il l'usine ? Après combien d'heures de travail ?
9. Une partie du salaire de M. Durand est retenu par le gouvernement. Qu'est-ce que les Durand reçoivent du gouvernement ?
10. Que font les Durand après le dîner ?

Discutons

A discuter oralement ou par écrit.

1. Imaginez et racontez une journée typique d'une famille ouvrière américaine. En quoi ressemble-t-elle à la vie des Durand ?
2. A huit heures du soir, Mme Durand est en train de faire la vaisselle pendant que M. Durand lit son journal. Si la famille était américaine, quelles différences y aurait-il ?
3. Comment la Sécurité sociale française semble-t-elle être différente de la nôtre ?

37 / Comment trouver un appartement

Grand ensemble d'immeubles à Sarcelles, près de Paris.

Les jeunes couples français voudraient bien trouver un joli petit appartement avant leur mariage. Mais cet appartement n'existe pas ; ou s'il existe il est beaucoup trop cher pour un budget de jeunes. Alors le couple est obligé de vivre avec les parents du mari ou de la jeune femme — ce qui met souvent en danger le nouveau mariage.

Il n'y a pas assez de logements° en France pour tous les jeunes qui se marient chaque année, et les appartements libres ne sont, en général, ni modernes ni jolis. Plus de deux millions de familles habitent des maisons construites avant 1815. Même dans les villes, la salle de bains est encore un luxe ; moins de 50 pour cent des maisons en ont une. C'est en partie à cause du manque° de confort que les Français ont la réputation de ne pas vouloir inviter leurs amis chez eux.

Pourquoi cette situation déplorable existe-t-elle ? D'abord, deux grandes guerres en cinquante ans ont détruit beaucoup de maisons et laissé la France très pauvre. Depuis la fin de la dernière Guerre Mondiale, le logement ne représente qu'une faible partie du budget national. Et puis la construction coûte cher parce qu'elle est faite par de petites entreprises qui n'ont pas adopté des méthodes modernes. Enfin les Français préfèrent les maisons individuelles. Ils sont hostiles à la construction de grands ensembles autour des villes.

Mais il faut les construire. Depuis quelques années seulement, le gouvernement prend les mesures nécessaires. Résultat : maintenant 300 000 nouveaux logements sont construits chaque année.

Mais avec les nouveaux appartements viennent de nouveaux problèmes. Ces appartements sont très modernes mais de très mauvaise qualité. Souvent la cuisine et la salle de bains sont trop étroites,° les portes ou les fenêtres ne fonctionnent pas bien, etc. Les locataires,° étant individualistes, sont malheureux parce que tous les appartements se ressemblent.

habitations

absence

petites

personnes qui habitent ces appartements

La vie sociale française est en train de changer dans ces grands ensembles. Au lieu d'avoir un petit nombre de voisins, on en a maintenant des centaines, ou même des milliers. On ne fait plus le marché chez les petits commerçants de son quartier (le boulanger, le laitier, l'épicier, etc.) ; on va au supermarché. On n'amène plus ses enfants au jardin public où on pouvait rester des heures avec eux pendant qu'ils jouaient ; on les laisse jouer avec les autres enfants de l'immeuble,° ou dans des salles de jeux spéciales.

°édifice divisé en appartements

Est-ce que cette vie collective est préférable à l'ancienne ? Que chacun juge° pour soi. Ce qui est sûr, c'est qu'elle est moins chère ; c'est surtout cela qui force les gens à l'accepter.

°forme une opinion, un jugement

Le jour viendra, bientôt, où une bonne partie de la population française habitera ces grands ensembles. Il faut que les constructeurs apprennent à les construire mieux, et emploient des techniques modernes... et que les Français apprennent à y vivre san perdre l'essentiel de la vie française traditionnelle.

[473 MOTS]

Adaptation d'articles de *l'Express* et du *Nouvel Observateur*

EXERCICES

Antonymes

Trouvez un antonyme.

Les Français *acceptent* la construction de grands ensembles. →
Les Français *sont hostiles à* la construction de grands ensembles.

1. Il faudra employer des méthodes modernes pour *détruire* cet immeuble.
2. Le logement représente une *bonne* partie de leur budget.
3. Les entreprises de construction n'ont pas *refusé* les nouvelles techniques.
4. Les Français n'aiment pas la vie *privée*.
5. Ils préfèrent habiter *les grands ensembles*.

Synonymes

Trouvez un synonyme.

L'éducation représente *une partie importante* du budget national. →
L'éducation représente *une grande* (ou *bonne*) *partie* du budget national.

1. Le gouvernement n'a pas *accepté* les suggestions des étudiants.
2. Que chacun *forme sa propre opinion.*
3. Nous avons remarqué *l'absence* d'une salle de bains.
4. Il n'y a pas assez *d'habitations* en France.
5. La cuisine est trop *petite.*

Tournures

A. Les appartements sont jolis et modernes. →
    Les appartements ne sont ni jolis ni modernes.

1. La vie collective est bon marché et agréable.
2. Les méthodes sont modernes et efficaces.
3. Les maisons sont jolies et confortables.
4. Les voisins sont gentils et raisonnables.
5. Les entreprises sont modernes et bien organisées.

B. La vie collective est certainement moins chère. →
    Ce qui est sûr, c'est que la vie collective est moins chère.

1. La situation est certainement déplorable.
2. La cuisine est certainement trop étroite.
3. La construction est certainement bien faite.
4. Les nouveaux appartements sont certainement plus modernes.
5. Le nombre de logements est certainement insuffisant.

C. Il y a quelques années, le gouvernement a commencé à prendre les
    mesures nécessaires. → Depuis quelques années, le gouvernement prend
    les mesures nécessaires.

1. Il y a quelques années, on a commencé à construire de grands ensembles.
2. Il y a quelque temps, les entreprises ont commencé à employer des techniques modernes.
3. Il y a quelques mois, nous avons commencé à chercher un appartement.
4. Il y a quelque temps, on a commencé à résister à la construction de grands immeubles.
5. Il y a quelques années, on a commencé à acheter la nourriture au supermarché.

Questions

1. Pourquoi les jeunes couples français ont-ils du mal à trouver un appartement ?
2. Quelles sont les plus grandes différences entre le logement français et le logement américain ? (âge, modernité, etc.)
3. Qu'est-ce qui manque à la plupart des logements en France ?
4. Pourquoi cette situation existe-t-elle ? (Il y a au moins quatre raisons.)
5. Combien de nouveaux logements sont construits chaque année ?
6. Quels sont les problèmes des nouveaux logements ?
7. Comment la vie sociale française est-elle en train de changer ?
8. Quel avantage les nouveaux logements offrent-ils ?
9. A quels problèmes faut-il encore trouver des solutions ?

Points de vue

A *discuter oralement ou par écrit.*

1. Le problème du logement se présente-t-il de la même façon à un couple américain ?
2. Je ne comprends pas pourquoi les familles françaises désirent avoir chacune une maison ; un appartement est tellement plus pratique.
3. Si vous pouviez avoir le logement de vos rêves, où serait-il ? Comment serait-il ?

vocabulaire

The vocabulary contains all the words that appear in the text except the definite article and proper names. Irregular verb forms are listed alphabetically, not under the infinitive form. Irregular noun plurals are listed, as are irregular feminine forms of adjectives.

The following abbreviations are used:

abbr	abbreviation	*imp*	imperative
cond	conditional	*pl*	plural
f	feminine	*pp*	past participle
m	masculine	*pres par*	present participle
fut	future	*subj*	subjunctive

a

a (avoir): **il a**   he has
à   at, to
abandonnant   abandoning
abandonner   to abandon
d'abord   first, at first
abréviation *f*   abbreviation
absence *f*   absence
absolument   absolutely
absurde   absurd, senseless
abusif   wrong
académie *f*   academy
accepter   to accept
accessible   accessible
accident *m*   accident
accompagner   to accompany
accomplir   to accomplish
accord *m*   agreement
   d'accord   in agreement
accorder   to grant; to give
accusant (*pres par of* **accuser**)
   accusing
achat *m*   purchase
acheter   to buy
achèterais (*cond of* **acheter**): **je n'achèterais jamais**   I would never buy
acheteur *m*   buyer
acteur *m*   actor
actif   active
action *f*   action; share, stock
activité *f*   activity
actrice *f*   actress
actualités *f pl*   current events, news
actuellement   now, at the present time

adaptation *f*   adaptation
adapter   to adapt, adjust
adjectif *m*   adjective
administration *f*   administration
administré (*pp of* **administrer**)
   governed
admirablement   admirably
admiration *f*   admiration
admirer   to admire
adolescence *f*   youth
adolescent *m*   adolescent, youth, young
   person
adopter   to adopt, take up
adorer   to adore
adresse *f*   address
aérien   aerial
aéroport *m*   airport
aéropostale   air postal
affaiblir   to weaken
affaire *f*   business, matter
affection *f*   affection
affolé (*pp of* **affoler**)   upset
africain   African
Afrique *f*   Africa
âge *m*   age
   âge des métaux   Bronze Age, c. 2000
      B.C.
   en âge de   at the age to
âgé   old
agent *m*   agent
   agent de police *m*   policeman
s'agit de (**s'agir de**): **il s'agit de**   it's a
   question of
agréable   agreeable, pleasant
agricole   agricultural

ai (avoir): j'ai   I have
aide *m*   aide (military)
aide *f*   aid, help
aider   to help
aimer   to like, love
ainsi   thus; therefore
air *m*   air; appearance
ajoutez (*imp of* ajouter)   add!
alcoolique   alcoholic
alerte   alert
allaient (aller): ils allaient   they went
allant (*pres par of* aller): en allant
   while going
allé (*pp of* aller): je suis allé   I went
Allemagne *f*   Germany
Allemand *m*   (a) German
allemand   German
aller   to go
allez (aller): vous allez le savoir   you
   are going to find out
allié *m*   ally
allocation familiale *f*   family allowance
allure *f*   manner, style
alors   then, so
   alors que   whereas; when
amasser   to accumulate
ambassade *f*   embassy
ambassadeur *m*   ambassador
ambitieux   ambitious
ambition *f*   ambition
amener   to bring; to lead
amènera (*fut of* amener): qui l'amènera
   which will bring him
Américain *m*   (an) American
américain   American
   à l'américaine   American-style
Amérique *f*   America
Amérique du Sud *f*   South America
ami *m*   friend
amitié *f*   friendship; affection
amour *m*   love
amusant   amusing
s'amuser   to enjoy oneself, have fun,
   have a good time
an *m*   year
   de 24 ans   24 years old
   elle a 25 ans   she is 25 years old
analysant (*pres par of* analyser): en
   analysant   upon analyzing
ancêtre *m*   ancestor, forebear
ancien   ancient, old; former

Anglais *m*   (an) Englishman
anglais   English
Angleterre *f*   England
Anglo-Américain *m*   (an) Anglo-
   American
animal *m*   animal
année *f*   year
   d'année en année   from year to year
   dans l'année à venir   in the coming
      year
   ces dernières années   in the last few
      years
annonce *f*   announcement; advertise-
   ment
annoncer   to announce
anonyme   anonymous, nameless
antilope *f*   antelope
antiquité *f*   antiquity
antonyme *m*   antonym
août *m*   August
s'aperçoit (s'apercevoir): on s'aperçoit
   one realizes, notices
aperçu (*pp of* s'apercevoir): je me suis
   aperçu   I realized
appartement *m*   apartment
appartenir   to belong
appelé (*pp of* appeler)   called, named
appeler   to call; to name
   s'appeler   to be named
appétit *m*   appetite
applicable   applicable, appropriate
appliquez (*imp of* appliquer)   apply!
apporter   to bring
apprenant (*pres par of* apprendre)
   teaching
apprend (apprendre): il apprend   he is
   learning
apprendre   to learn; to teach
apprennent (apprendre): ils apprennent
   they learn
appris (*pp of* apprendre): il a appris
   he learned
s'approcher   to draw near
approuver   to approve; to agree to
après   after
   après avoir   after having
   après tout   after all
après-midi *m*   afternoon
aptitude *f*   aptitude; capacity
Arc de Triomphe *m*   Arch of Triumph
archéologique   archeological

architecte *m* architect
argent *m* money
aristocrate *m* aristocrat
aristocratie *f* aristocracy
aristocratique aristocratic
armée *f* army
arrangeant (*pres par of* arranger)
settling; conciliatory
arranger to settle, arrange
s'arranger to manage; to settle
matters
arrêter to stop
s'arrêter to stop
arrivé (*pp of* arriver): il est arrivé he
arrived
arrivée *f* arrival
à mon arrivée when I arrived
arriver to arrive; to happen
vous arrive-t-il de... ? do you
ever . . . ?
arrogant arrogant
art *m* art
article *m* article
artificiel artificial
artillerie *f* artillery
artiste *m* artist
artistique artistic
as (avoir): tu as you have
aspect *m* appearance; look
s'asseyent (s'asseoir): ils s'asseyent
they sit
assez enough; rather
s'assied (s'asseoir): elle s'assied she sits
down
assiette *f* plate
assis (*pp of* asseoir) seated
assister à to attend
association *f* association
assurance *f* self-confidence
assurer to assure; to insure
astrologie *f* astrology
attacher to attach
attendait (attendre): qui m'attendait
who was waiting for me
attendre to wait for, await
attentif careful
attention *f* attention; care
attitude *f* attitude
attribuer to attribute
aucun not any, none
audacieux bold, daring

augmenter to increase
aujourd'hui today
auquel, à laquelle to which
aura (*fut of* avoir): il aura he will have
il y aura there will be
qui aura 51 km de long which will
be 51 km in length
aurais (*cond of* avoir): j'aurais I
would have
auras (*fut of* avoir): tu auras you will
have
aurez (*fut of* avoir): vous aurez you
will have
auront (*fut of* avoir): elles auront they
will have
aussi also, too; as, so
autant (de) so much
autobus *m* bus
automobile *f* automobile, car
autorité *f* authority
autoroute *f* express highway
autour around, about
autre other
autre chose something else
les autres other people
d'autres others, other people
autrement otherwise
avaient (avoir): ils avaient they had
avais (avoir): si j'avais if I had
avait (avoir): il avait he had
avance *f* advance
avancer to move forward
avant before
avant J.-C. B.C.
avant de pouvoir before being able
avant tout above all
avantage *m* advantage
avec with
avenir *m* future
aventure *f* adventure
avenue *f* avenue
avez (avoir): vous avez you have
aviateur *m* aviator
aviation *f* aviation
avion *m* airplane
avions (avoir): nous avions we had
avis *m* opinion
avoir to have
avoir l'air to look, seem
de ne pas avoir de mari not to have a
husband
avoir peur to be afraid

avons (avoir): **nous avons**   we have
avril *m*   April

b

baccalauréat *m*   school graduation degree
bachot (baccalauréat) *m*   school graduation degree
bachoter   to "cram" for the bachot
bain *m*   bath
baiser *m*   kiss
baiser   to kiss
Balance *f*   Libra
ballet *m*   ballet
banane *f*   banana
banc *m*   bench
banque *f*   bank
bar *m*   bar
bas   low
  tout bas   softly
base-ball *m*   baseball
basket-ball *m*   basketball
bas-relief *m*   bas-relief, low relief
bataille *f*   battle
bateau *m*   boat
beau, belle   beautiful, fine
beaucoup (de)   much, many
beauté *f*   beauty
bébé *m*   baby
Belgique *f*   Belgium
Bélier *m*   Aries
belle   *see* **beau**
besoin *m*   need
  avoir besoin (de)   to need; to need to
beurre *m*   butter
bicyclette *f*   bicycle
bien   well, right; many
  bien des   many
bientôt   soon
blanc, blanche   white; blank (paper)
blasphémer   to blaspheme, curse
bleu   blue
blond   blond
blonde *f*   (a) blonde
boire   to drink
bois (boire): je bois   I drink
boit (boire): on boit   one drinks
boîte *f*   can; box; case
boîte de nuit *f*   night club

boivent (boire): **ils boivent**   they drink
bon   good
bonjour *m*   hello
bord *m*   edge; bank, shore
  au bord de la mer   at the seashore
  à bord d'un bateau   on board a ship
bouche *f*   mouth
boulanger *m*   baker
bourgeois   middle-class
bout *m*   end
bouton *m*   button
Bretagne *f*   Brittany
brillant   brilliant
brossé (*pp of* **brosser**): **nous nous sommes brossé les dents**   we brushed our teeth
bruit *m*   noise
bu (*pp of* **boire**): **il a tout bu**   he drank it all
budget *m*   budget
bureau *m*   office
  bureau de poste *m*   post office
  bureau de tabac *m*   tobacco shop
buveur *m*   drinker
buvons (boire): **nous buvons**   we drink

c

ça (*contraction of* **cela**)   that, this
cacher   to hide
  se cacher   to hide oneself
cadeau *m*   gift
cadre *m*   frame
café *m*   coffee
  café au lait   French breakfast drink: half coffee, half warm milk
cage *f*   cage
Caisse d'Épargne *f*   savings bank
calculer   to calculate
calendrier *m*   calendar
calme   calm, quiet
camarade *m or f*   comrade, schoolmate, fellow-
camion *m*   truck
campagne *f*   country
campeur *m*   camper
camping *m*   camping
Canada *m*   Canada
canard *m*   duck

Cancer *m*   Cancer
canon *m*   cannon
capable   capable
capital *m*   capital, assets
car   because
Capricorne *m*   Capricorn
caractère *m*   character
caractériser   to characterize
caractéristique *f*   characteristic
carotte *f*   carrot
carte d'identité *f*   identification card
carte postale *f*   postcard
cas *m*   case
casserole *f*   saucepan
catastrophe *f*   catastrophe, disaster
catholique   Catholic
cause *f*   cause
  à cause de   because of
causer   to cause
cavalier *m*   escort
caviar *m*   caviar
ce   this, that; he, she, it
ce (cet), cette   this, that
  ces   these, those
ceci   this
cédé (*pp of* **céder**)   handed over
cela   that
  cela ne se fait pas   that just isn't done
célèbre   famous
célébrer   to celebrate
celle(s)   see **celui**
cellophane *f*   cellophane
celui, celle   the one, that
  ceux, celles   they, those, them
cent *m*   hundred
centaine *f*   about a hundred
centre *m*   center
cependant   however
cérémonie *f*   ceremony, pomp
certain   certain, sure; a certain . . .
certainement   certainly
ces   see **ce**
cesser   to cease, stop
cession *f*   transfer
c'est   it is
  c'est toujours moi qui...   I'm always
    the one who . . .
cet, cette   see **ce**
ceux   see **celui**
chacun   each (one)
  Que chacun juge pour soi   Let every-
    one decide for himself

chaise *f*   chair
chambre *f*   room
champagne *m*   champagne
chance *f*   luck, fortune
  avoir de la chance   to be lucky
changeant   changing
changement *m*   change
changer   to change
chanteur *m*   singer
chapeau *m*   hat
chapitre *m*   chapter
chaque   each
se charger   to be entrusted with
charmant   charming
charme *m*   charm
château *m*   castle
chaud   hot, warm
chauffer   to heat
  faire chauffer   to heat
chauffeur *m*   chauffeur; driver
chef *m*   head, superior
chef-d'œuvre *m*   masterpiece
chemin de fer *m*   railroad
chemise *f*   shirt
cher, chère   dear; expensive
chercher   to look for, search for
  chercher à   to attempt
chez   at the house of; at
  chez moi   at home; at my house
chic   chic, stylish
chien *m*   dog
chiffre *m*   figure
chimique   chemical
chimiste *m*   chemist
chimpanzé *m*   chimpanzee
choisi (*pp of* **choisir**): **il a choisi**   he
    chose
choisir   to choose
choisissent (**choisir**): **ils choisissent**
    they choose
choisissez (**choisir**): **vous choisissez**
    you choose
choisissons (**choisir**): **nous choisissons**
    we choose
choisit (**choisir**): **il choisit**   he chooses
choix *m*   choice
  choix multiple *m*   multiple choice
chose *f*   thing
-ci: cette fois-ci   this time
  celle-ci   this one
Cie *f* (*abbr of* **compagnie**)   company
ciel *m*   sky

cigarette f   cigarette
cinéma m   movies
cinq   five
cinquante   fifty
cinquième   fifth
circulation f   traffic
circuler   to circulate; to flow
cité (pp of citer)   mentioned
citoyen m   citizen
Citroën f   a French car
civilisation f   civilization
clair   clear, obvious; light
clairement   clearly
classe f   class; social class
classique   classical
clef f   key
   fermer à clef   to lock
client m   client, customer
cloche f   bell
club m   club
coca-cola m   coca-cola
cœur m   heart
   par cœur   by heart
coiffent (coiffer): « elles coiffent la
   Sainte-Catherine »   "they don St.
   Catherine's hat" (i.e., they turn 25
   without being married)
« coiffer la Sainte-Catherine »   "to don
   St. Catherine's hat" (i.e., to turn 25
   without being married)
collectif, -ive   collective
collection f   collection
colline f   hill
cologne f   cologne
combat m   combat, battle
combattre   to fight, to oppose
combien (de)   how much; how many
commander   to command
comme   like, as
   comme avant   as before
commémorer   to commemorate
commencement m   beginning
commencer (à)   to begin (to)
comment   how
   comment oublier?   how can one
   forget?
commerçant m   merchant
commerce m   commerce, trade
commercial   commercial, business
communauté f   community
communiste m or f   communist

compagnie f   company
   en compagnie de   in the company of
comparer   to compare
   se comparer   to compare oneself
compétition f   competition
complet   complete
complètement   completely
compléter   to complete
compliment m   compliment
compliqué (pp of compliquer)
   complicated
se composer (de)   to be composed of
composition f   composition
compréhension f   understanding
comprenaient (comprendre): ils ne
   comprenaient pas   they didn't
   understand
comprend (comprendre): il comprend
   he understands
comprendre   to understand
comprends (comprendre): je comprends
   I understand
compris (pp of comprendre): ils ont
   compris   they understood
comptez (compter): vous comptez (sur)
   you are counting on
concerne: en ce qui concerne
   concerning, as concerns
concerner   to concern, to regard
concert m   concert
condition f   condition, state
conduisant (pres par of conduire)
   driving
conduisez (conduire): vous conduisez
   you drive
confiance f   confidence
confort m   comfort
connais (connaître): je connais   I know
connaissaient (connaître): ils
   connaissaient   they knew
connaissais (connaître): je connaissais
   I knew
connaissance f   knowledge
connaissent (connaître): ils connaissent
   they know
connaissez (connaître): connaissez-vous?
   do you know?
connaissons (connaître): nous
   connaissons   we know
connaît (connaître): il connaît   he
   knows
connaître   to know

connu (*pp of* connaître) known; well-known

conquérir to conquer, to win over

conscience *f* conscience

consciencieux conscientious

conseil *m* advice; council

conséquence *f* result

conserver to conserve

conserves *f pl* canned food

considérable considerable

considérer to consider

consommation *f* consumption

constamment constantly

constitution *f* constitution

constructeur *m* builder

construction *f* construction

construire to construct, build

consul *m* consul

consulter to consult

contact *m* contact, relation

content happy, content, satisfied

contient (contenir): il ne contient pas it doesn't contain

continent *m* continent

continuer to continue

contraire *m* contrary, opposite

contraste *m* contrast

contre against

contribué (*pp of* contribuer) contributed

convenable appropriate, suitable

conversation *f* conversation

convient (convenir): qui convient which fits, is suitable

copie *f* copy; exam paper

copier to copy

co-pilote *m* copilot

corps *m* body

correcteur *m* corrector

correspondre to correspond

corriger to correct

Corse *f* Corsica

corse Corsican

cosmonaute *m* astronaut

costume *m* costume

côté *m* side; aspect; direction

à côté de beside

coucher: le coucher du soleil sunset

se coucher to go to bed

couleur *f* color

couper to cut

couple *m* couple

courage *m* courage

courageux courageous

courant (*pres par of* courir) running

coureur *m* racer

courir to run

courrier *m* messenger; mail

le Courrier du Cœur advice to the lovelorn

cours *m* course

course *f* errand; running

couru (*pp of* courir): ils ont couru they ran

cousin *m* cousin

coûté (*pp of* coûter) cost

couteau *m* knife

coûter to cost

coûterait (*cond of* coûter): il coûterait trop cher it would be too expensive

coutume *f* custom, habit

cravate *f* necktie

crédit *m* credit

à crédit on credit

créé (*pp of* créer) created

créer to create

cri *m* cry

cricket *m* cricket

crime *m* crime

criminel *m* criminal

critiquer to criticize

croient (croire): d'autres croient others believe

croire to believe

se croire to believe oneself to be

crois (croire): je crois I believe

croit (croire): il croit he believes

croyais (croire): je croyais I believed

croyait (croire): il croyait he believed

croyez (croire): croyez-vous? do you believe?

croyons (croire): nous croyons we believe

cruellement cruelly

cuillère *f* spoon

cuisine *f* cooking; kitchen

cuisinier *m* cook

cuit (*pp of* cuire) cooked

cure *f* cure, therapy

curiosité *f* curiosity

cyclisme *m* cycling

d

dame _f_ lady
danger _m_ danger
dangereux dangerous
dans in; into
danser to dance
date _f_ date
davantage more; longer
de of; from; by
débouchera (_fut of_ déboucher): il
    débouchera it will emerge
debout upright, standing
se débrouiller to manage
début _m_ beginning, start
décembre _m_ December
décider to decide
décision _f_ decision
découragement _m_ discouragement
découvert (_pp of_ découvrir): il a
    découvert he discovered
découverte _f_ discovery
découvrent (découvrir): ils découvrent
    they discover
découvrir to discover
décrire to describe
décrivent (décrire): ils décrivent they
    describe
décrivez (décrire): vous décrivez you
    describe
dedans inside
défilé _m_ parade
définition _f_ definition
dehors outside
déjà already
déjeuner _m_ lunch
  petit déjeuner _m_ breakfast
demain tomorrow
demander to ask, request
  se demander to wonder
demeurer to live; to reside
demi _m_ half
dénonçant (_pres par of_ dénoncer)
    denouncing
dent _f_ tooth
dentiste _m_ dentist
départ _m_ departure
dépêcher to hurry
  se dépêcher to hurry up
dépend (dépendre): cela dépend that
    depends

dépenser to spend
déplorable deplorable, wretched
dépression _f_ depression
depuis since
  depuis quelque temps recently, in
    the last few days (years, etc.)
dernier, dernière last
derrière behind
dès since
désagréable disagreeable
descendras (_fut of_ descendre): tu
    descendras you will descend
descendre to descend, go down, get
    out (of a car, train, etc.)
descends (descendre): tu descends
    you descend
description _f_ description
désert _m_ desert
désir _m_ desire
désirer to desire
dessert _m_ dessert
dessin _m_ drawing, sketch
dessus on, upon
destiné à destined for, intended for
destructif destructive
détail _m_ detail
détergent _m_ detergent
détestable detestable, hateful
détester to detest
détruit (_pp of_ détruire) destroyed
deux two
deuxième second
deuxièmement secondly
devait (devoir): on devait les protéger
    they had to be protected
devant before, in front of
développé (_pp of_ développer)
    developed
se développer to develop, grow
devenir to become
devenu (_pp of_ devenir): il est devenu
    it has become
devez (devoir): vous ne devez pas
    you must not
deviendra (_fut of_ devenir): qui
    deviendra who will become
devient (devenir): il devient he
    becomes
devoir _m_ duty; exercise; homework
devoir to have to
devra (_fut of_ devenir): il devra he
    will have to

devrait (*cond of* **devoir**): **il devrait**   he should

dictionnaire *m*   dictionary

dieu *m*   god

différence *f*   difference

différent   different

difficile   difficult
  difficile à vivre   difficult to live with

difficilement   with difficulty

difficulté *f*   difficulty

dimanche *m*   Sunday

diminuer   to diminish, decrease

dîner *m*   dinner

dîner   to dine, have dinner

diplomate *m*   diplomat

dire   to say, tell
  c'est-à-dire   in other words

directement   directly, straight

direction *f*   direction

dirigé (*pp of* **diriger**)   directed

diront (*fut of* **dire**): **ils diront**   they will say

disais (**dire**): **je me disais**   I said to myself

disait (**dire**): **il disait**   he said

disant (*pres par of* **dire**): **en disant**   while saying

discipline *f*   discipline

discussion *f*   discussion

discuter   to discuss

disent (**dire**): **ils disent**   they say

disparu (*pp of* **disparaître**)   disappeared

disposition *f*   disposition

disque *m*   record

dissertation *f*   essay, composition

distinction *f*   distinction

distingué   distinguished

distraction *f*   amusement; recreation

dit (**dire**): **on dit**   they say, one says

dit (*pp of* **dire**): **il m'a dit**   he said to me

dites (**dire**): **vous dites**   you say

divers   diverse, various

diversifier   to diversify, vary

divisé (*pp of* **diviser**)   divided

divorce *m*   divorce

dix   ten

dix-huit   eighteen

dix-neuf   nineteen

dix-sept   seventeen

doigt *m*   finger

dois (**devoir**): **je dois**   I must

doit (**devoir**): **il doit**   he must, it must

doivent (**devoir**): **ils doivent**   they must

dollar *m*   dollar

dominant   dominant

donc   therefore

donner   to give
  donner l'exemple   to set the example

dont   of which, whose

dormant (*pres par of* **dormir**): **en dormant**   while sleeping

dormir   to sleep

dort (**dormir**): **il dort**   he sleeps

dos *m*   back

doute *m*   doubt
  sans doute   no doubt, probably

douze   twelve

dramatique   dramatic

drame *m*   drama

drapeau *m*   flag

se dresser   to rise

droit *m*   right

droit   right

droite: à droite   to the right

drôle   funny

dû (*pp of* **devoir**): **j'ai dû**   I was obliged to
  j'aurais dû   I should have

dynamisme *m*   dynamism

dynastie *f*   dynasty

e

eau *f*   water
  eau minérale *f*   mineral water

échouer   to fail

école *f*   school

économe   economical

économie *f*   economy

économique   economical

écouter   to listen to

écrire   to write

écris (**écrire**): **j'écris**   I write

écrit: par écrit   in writing

écrit (**écrire**): **il écrit**   he is writing

écrit (*pp of* **écrire**): **il a écrit**   he wrote

écrivain *m*   writer

écrivent (**écrire**): **elles écrivent des lettres**   they write letters

édifice *m*   building

éducation *f*   education
effectuer   to achieve; to carry out
efféminé   effeminate
effet *m*   effect; result
efficace   effective
effort *m*   effort
égal *m*   equal
église *f*   church
égoïste   selfish
élégance *f*   elegance
élégant   elegant, stylish
éléphant *m*   elephant
élève *m or f*   student
élevé (*pp of* élever)   erected
  bien élevé   well brought up
éliminer   to eliminate
elle   she, her
elle-même   herself
s'éloignera (*fut of* s'éloigner): il
  s'éloignera   it will go away
émotion *f*   emotion; excitement
empereur *m*   emperor
employé *m*   employee
employer   to employ
employeur *m*   employer
en   in; of; some
  en fait   in fact
encore   still; yet; again; also
encourageant (*pres par of* encourager)
  encouraging
encouragement *m*   encouragement
encourager   to encourage
endormi   sleeping
endormir   to put to sleep
  s'endormir   to fall asleep
endroit *m*   place, spot
endurance *f*   endurance
énergie *f*   energy
énergique   energetic
enfance *f*   childhood
enfant *m and f*   child
enfin   finally
engager   to engage; to hire
ennemi *m*   enemy, foe
énorme   enormous
enquête *f*   investigation
enseigne (enseigner): qui enseigne
  who teaches
ensemble *m*   mass; whole; housing
  development
ensemble   together
ensuite   afterwards, then

entendre   to hear
  entendre parler de   to hear of
  s'entendre   to be heard; to agree
  de s'entendre dire « tu »   to hear
  « tu » said to them
enthousiasme *m*   enthusiasm
s'enthousiasmer   to become enthusiastic
entièrement   entirely
entouré (*pp of* entourer)   surrounded
entre   between, among
entrée *f*   entry; admission
entrent (entrer): ils entrent   they
  enter
entreprise *f*   enterprise
entrer   to enter
entre-temps   meanwhile
enveloppe *f*   envelope
envers   toward
environ   about, approximately
envoie (envoyer): il envoie   he sends
envoient (envoyer): ils l'envoient   they
  send him
envoyé (*pp of* envoyer)   sent
envoyer   to send
envoyez (*imp of* envoyer)   send!
épaule *f*   shoulder
épicier *m*   grocer
époque *f*   epoch, age; period
  à l'epoque des vacances   at vacation
  time
épreuve: épreuve sportive *f*   game,
  match
équipe *f*   team
équipé(e)   equipped
équivalent *m*   equivalent
erreur *f*   error, mistake
es (être): tu es   you are
escalier *m*   stairs
Espagne *f*   Spain
espagnol   Spanish
espère (espérer): on espère   it is hoped
espérer   to hope
espérons (espérer)   let's hope
espion *m*   spy
espionnage *m*   espionage, spying
esprit *m*   mind
essaie (essayer): j'essaie   I try
essayé (*pp of* essayer): il a essayé   he
  tried
essayez (essayer): vous essayez   you try
essentiel *m*   essence
est *m*   east

est (être): c'est   it is
et   and
étaient (être): ils n'étaient pas   they
   weren't
étais (être): j'étais   I was
était (être): il était   he was, it was
étant (*pres par of* être)   being
état *m*   state
États-Unis *m pl*   United States
été *m*   summer
été (*pp of* être): il a été   he was, it was
éternel   eternal
êtes (être): vous êtes   you are
ethnique   ethnic
étions (être): nous étions   we were
étonnant   astonishing, amazing
étonné (*pp of* étonner)   astonished
étrange   strange
étranger   foreign
être   to be
   être à   to belong to
étroit   narrow, small
étude *f*   study; research
   a fait 10 ans d'études   studied for 10
      years
étudiant *m*   student
étudié (*pp of* étudier): il avait étudié
   he had studied
étudier   to study
eu (*pp of* avoir): il a eu   he had, it
   had
   j'ai eu peur   I was scared
Europe *f*   Europe
Européen *m*   (a) European
européen   European
eux   them, they
   à eux   of their own
eux-mêmes   themselves
évaluation *f*   estimate
évidemment   obviously, of course
évident   evident, clear, plain
exagérer   to exaggerate
examen *m*   examination, test
excepté   except
exceptionnel   exceptional, unusual
excessive   excessive
excessivement   excessively
exclusivement   exclusively
excursion *f*   excursion, trip, outing
exécuter   to execute; to carry out
exemple *m*   example
   par exemple   for example

exercer   to exercise; to exert
   s'exercer   to exercise; to keep in shape
exercice *m*   exercise
exigera (*fut of* exiger): il exigera   it
   will require
exil *m*   exile
exister   to exist; to be; to live
exotique   exotic
expansion *f*   expansion, enlargement
expérience *f*   experience
expert   skilled
explication *f*   explanation
expliquer   to explain
exploit *m*   feat, deed, achievement
exploration *f*   exploration
explosif *m*   explosive
exposé (*pp of* exposer)   exhibited
exposition *f*   exhibition
expression *f*   expression
extérieur *m*   outside
extraordinaire   extraordinary
extrêmement   extremely

f

fabrication *f*   manufacture; production
fabriquer   to produce, manufacture
facile   easy
facilement   easily
façon *f*   manner, way, mode
faible   weak, feeble
failli (*pp of* faillir): il a failli   he came
   near, he almost
faim *f*   hunger
   avoir faim   to be hungry
faire   to do; to make
   faire du camping   to go camping
   faire du sport   to take part in sports
faisait (faire): il faisait beau   it was
   beautiful weather
fait: en fait   in fact
fait (faire): il fait   he does, he makes
   cela ne se fait pas   that just isn't done
   on fait passer   one transfers
   on fait repasser   one again transfers
fait (*pp of* faire): elle a fait   she did,
   she made
faites (faire): vous faites   you do, you
   make
fallait (falloir): il fallait   it was
   necessary

falloir   to be necessary
familier   familiar
familièrement   familiarly
famille *f*   family
fatigue *f*   fatigue
faudra (*fut of* falloir): il faudra   it will be necessary
faut (falloir): il faut   it is necessary
faute *f*   mistake
faux   false
faveur *f*   favor
féminin   feminine
femme *f*   wife; woman
fenêtre *f*   window
fera (*fut of* faire): il fera   he will make
ferais (*cond of* faire): je ferais   I would do
fermé (*pp of* fermer)   closed
fermer   to close
   fermer à clef   to lock
feront (*fut of* faire): ils feront   they will make
festival *m*   festival
fête *f*   feast; holiday
fêter   to celebrate
feu *m*   fire
feuille *f*   sheet of paper
février *m*   February
fibre *f*   fiber
fille *f*   girl
   vieille fille   old maid
film *m*   film
filmer   to film
fils *m*   son
fin *f*   end
finalement   finally
financier   financial
fini (*pp of* finir)   finished
finir   to finish
finit (finir): il finit   he finishes
flatter   to flatter
flatterie *f*   flattery
fleur *f*   flower
flirter   to flirt
fois *f*   time; occasion
   à la fois   at the same time
   encore une fois   once more
   une fois libéré   once freed
fonctionner   to function, work
fondé (*pp of* fonder)   founded
font (faire): ils ne font pas   they don't make, they don't do
football *m*   football

force *f*   force; strength
forcer   to force
formalité *f*   formality
formant (*pres par of* former)   forming
formation *f*   formation
forme *f*   shape
   pour la forme   just for appearances
former   to form
fort   strong
   le plus fort   the strongest
fortune *f*   fortune
fortuné   wealthy
fou *m*   madman
fourchette *f*   fork
fraction *f*   fraction
frais *m pl*   cost, expenses
frais, fraîche   fresh
franc *m*   franc
Français *m*   Frenchman
français   French
France *f*   France
frère *m*   brother
friction *f*   friction
frigidaire *m*   refrigerator
   frigo *m*   refrigerator
froid   cold
fromage *m*   cheese
fruit *m*   fruit
fumer   to smoke
fureur *f*   fury, rage
furieux, -euse   mad, furious
furtivement   stealthily, furtively
futur *m*   future
futur   future

g

gagné (*pp of* gagner): après avoir gagné   after having won
gagner   to gain; to win; to earn
gallon *m*   gallon
garçon *m*   boy
gardé (*pp of* garder)   guarded
garder   to keep; to remain
gardien *m*   guardian; attendant
gare *f*   station
gauche   left
   à gauche   to the left
gaz *m*   gas
gazelle *f*   gazelle
gémeaux *m pl*   Gemini
général *m*   general

général   general
  en général   generally
généralement   generally
génération *f*   generation
généreux   generous
génie *m*   genius
genou *m*   knee
gens *m pl*   people, folk
gentil   nice; kind
  tu es si gentille   you're such a nice
  girl
gentiment   graciously
géographie *f*   geography
geste *m*   gesture
girafe *f*   giraffe
golf *m*   golf
goût *m*   taste
gouvernement *m*   government
grâce *f*   favor; pardon
  grâce à   thanks to
grade *m*   rank, grade
grammaire *f*   grammar
gramme *m*   gram
grand   tall; large, big; great
Grande-Bretagne *f*   Great Britain
grands-parents *m pl*   grandparents
gratuitement   free
grave   grave, serious
grec, grecque   Greek
grimper   to climb
gros, grosse   big, large
groupe *m*   group
guerre *f*   war
  Deuxième Guerre Mondiale *f*   World
  War II
  guerre Franco-Prussienne *f*   Franco-
  Prussian War
  guerre d'Indépendance *f*   War of
  Independence, American Revolution
  Première Guerre Mondiale *f*   World
  War I
guillotiné (*pp of* **guillotiner**)
  guillotined
gymnastique *f*   gymnastics

h

habillé (*pp of* **habiller**)   dressed
habiller   to dress, clothe
  s'habiller   to get dressed
habitant *m*   inhabitant, resident
habitation *f*   home, dwelling

habiter   to live in, inhabit
habitude *f*   habit, custom
haut   tall; high
  de haut   in height
hauteur *f*   height; hill
héritage *m*   heritage
héros *m*   hero
hésitation *f*   hesitation
hésiter   to hesitate
heure *f*   hour
  à l'heure   on time
  de bonne heure   early
  sept heures   seven o'clock
heureux, -euse   happy
hier   yesterday
  hier soir   last night, last evening
hissé (*pp of* **hisser**): **il a hissé le**
  drapeau   he raised the flag
histoire *f*   story; history
historique   historical
hockey *m*   hockey
Hollande *f*   Holland
homme *m*   man
honnête   honest
honnêtement   honestly
honneur *m*   honor
honorablement   honorably
horoscope *m*   horoscope
horreur *f*   horror, loathing
hostile   opposed
hôtel *m*   hotel
huit   eight
humain   human
humour *m*   humor
hyène *f*   hyena
hymne *m*   hymn
hypocritement   hypocritically

i

ici   here
idéal   ideal
idée *f*   idea
identité *f*   identity
idiot *m*   idiot
idole *f*   idol
il   he; it
il y a   there is, there are; ago
  il y a quelques générations   several
  generations ago
  il y a moins de...   less than . . . ago

il y a plus de... more than . . . ago
il y aura there will be
il y avait there was; there were
île *f* island
illustrant (*pres par of* illustrer) illustrating
image *f* image, picture
imaginatif imaginative
imagination *f* imagination
imaginer to imagine
imbécile *m* imbecile
imiter to imitate
immédiat immediate
immense immense, huge
immeuble *m* building
imparfait *m* imperfect (tense)
impatient impatient
s'impatienter to lose patience
importance *f* importance
important important; considerable
impossible impossible
impressionner to impress
impulsif impulsive
incident *m* incident
inciter to induce, urge on
inconfortablement uncomfortably
inconnu unknown
indécision *f* uncertainty
indépendance *f* independence
indépendant independent
indéterminé indeterminate
individualiste *m* individualist
individuel individual
indulgent lenient
industrie *f* industry
inévitable inevitable
influence *f* influence
influencer to influence
information *f* information
informer to inform
ingénieur *m* engineer
injustice *f* injustice
s'inscrire to register
insister to insist
inspecter to inspect, search
inspection *f* inspection
inspiration *f* inspiration
inspiré (*pp of* inspirer) inspired
s'est installé (*pp of* s'installer): il s'est installé he set himself up, made his home
instant *m* instant

institut *m* institute
insuffisant insufficient
insulte *f* insult
intellectuel *m* intellectual
intelligence *f* intelligence
intelligent intelligent
intention *f* intention
intéressant interesting
intéresser to interest
s'intéresser à to become interested in, take an interest in
intérêt *m* interest
intérieur *m* inside
intermédiaire *m* intermediary
international, internationaux international
interprétation *f* interpretation
interrogé (*pp of* interroger) questioned
interrompre to interrupt
intuitif intuitive
intuition *f* intuition
inutile useless
inventé (*pp of* inventer) invented
inventif inventive
invention *f* invention
investigation *f* investigation
inviter to invite
ira (*fut of* aller): l'une ira one will go
tout ira mieux all will go better
irai (*fut of* aller): j'irai I will go
ironique ironic
irrésistible irresistible
isolé (*pp of* isoler) isolated
Italie *f* Italy
italien Italian

j

jaloux, -se jealous
jamais ever, never
jambe *f* leg
jambon *m* ham
janvier *m* January
Japon *m* Japan
jardin *m* garden
jaune yellow
J.-C. Jesus Christ
je (j') I
jeter to throw
jeu *m* game

jeune *m*   a young person
jeune   young
jeunesse *f*   youth
joli   pretty, good-looking
joue *f*   cheek
jouer   to play
joueur *m*   player
jour *m*   day
   le jour des Mères   Mother's Day
journal *m*   newspaper
journée *f*   day
jugement *m*   judgement
juger   to judge, decide
juillet *m*   July
juin *m*   June
jupe *f*   skirt
jurer   to swear
jusque   until; up to
   jusqu'à   up to; as far as
juste   just, exactly
justement   actually

k

kilogramme (kilo) (kg) *m*   kilogram
kilomètre (km) *m*   kilometer

l

la   her, it
là   there
   là-bas   over there, down there
   c'est là que   that's where
   c'est là une...   that's a . . .
lac *m*   lake
laisser   to leave; to let
lait *m*   milk
laitier *m*   milkman
Land-Rover   Land Rover (English
   jeep-like vehicle)
se laver   to wash oneself
leçon *f*   lesson
légalement   legally
légende *f*   legend
légume *m*   vegetable
lendemain *m*   next day
lequel, laquelle   which
lettre *f*   letter
leur, leurs   their
lever: le lever du soleil   sunrise

se lever   to get up; to stand up
liaison *f*   connection; communications;
   liaison
libération *f*   liberation
libéré (*pp of* **libérer**)   liberated, freed
liberté *f*   liberty, freedom
libre   free; unoccupied
lieu *m*   place, spot
   au lieu de   instead of
   avoir lieu   to take place; to occur
ligne *f*   line
limite *f*   limit
limiter   to limit
lion *m*   lion
Lion *m*   Leo
lire   to read
lis (**lire**): **je lis**   I read
lisez (**lire**): **vous lisez**   you read
lisible   legible, readable
lisiblement   legibly
lisons (**lire**): **nous le lisons**   we read it
lit *m*   bed
lit (**lire**): **il lit son journal**   he reads his
   newspaper
litre *m*   liter
littérature *f*   literature
livre *m*   book
   livre de classe   textbook
local, locaux   local
locataire *m*   tenant
locution *f*   expression, phrase
logarithme *m*   logarithm
loge *f*   dressing-room
logement *m*   housing
logique   logical
loin   far (away)
long, longue   long; slow
longtemps   long, a long time
lors de   at the time of
lorsque   when
Louisiane *f*   Louisiana
lourd   heavy
Louvre *m*   Louvre
lu (*pp of* **lire**): **j'ai lu**   I have read
lui   to him, of him; to her, of her; he,
   him
lundi *m*   Monday
luxe *m*   luxury
   de luxe   deluxe
lycée *m*   secondary school, roughly
   equivalent to high school
lyonnais   of Lyon

m

machine *f*   machine
   machine à laver *f*   washing machine
madame *f*   madam
Madame *f*   Mrs.
magasin *m*   store
magique   magic
magnifique   magnificent
mai *m*   May
main *f*   hand
maintenant   now
mais   but
maison *f*   house
major-général *m*   major-general
majorité *f*   majority
mal   badly
mal *m*   pain; disease; trouble; harm
malade   sick
malheureux, -euse   unhappy
malsain   unhealthy
maman *f*   mama, mother
Manche *f*   English Channel
mandat *m*   money-order
manger   to eat
manière *f*   manner
manque *m*   lack
manque (manquer): il manque un
   bouton à   a button is missing from
manquer   to lack, miss
manuel   manual
marchand *m*   merchant, dealer
marchandise *f*   merchandise
marché *m*   shopping; market
marche *f*   walking
marchez (*imp of* marcher)   walk!
mardi *m*   Tuesday
mari *m*   husband
mariage *m*   marriage
marié (*pp of* marier)   married
se marier   to marry
marque *f*   trademark, brand
marqué (*pp of* marquer)   marked
mars *m*   March
masculin   masculine
masculinité *f*   masculinity
match *m*   match, game
mathématicien *m*   mathematician
mathématique   mathematical
mathématiques *f pl*   mathematics
matin *m*   morning

mauvais   bad, ill, evil; wrong
me   me, to me; myself
mécanisé   mechanized
médecin *m*   doctor
méfiance *f*   distrust
meilleur   better
membre *m*   member
même   same; even
mémoire *f*   memory
menacer   to threaten
ménagère *f*   housewife
menhir *m*   menhir, a prehistoric stone
   monument
mentionnent (mentionner): ils
   mentionnent   they mention
mer *f*   sea
merci   thank you
mère *f*   mother
mérité (*pp of* mériter)   deserved
messe *m*   mass
mesure *f*   measure
met (mettre): on met   one puts
métal *m*   metal
métaux (*pl of* métal)
méthode *f*   method, system
métier *m*   trade, profession
mètre *m*   meter (slightly more than a
   yard)
Métro (*abbr of* Métropolitain) *m*
   subway
mets (mettre): je mets   I put
mettait (mettre): il mettait   he put
mettent (mettre): ils mettent   they put
mettez (*imp of* mettre)   put!
mettrai (*fut of* mettre): je mettrai la
   table   I will set the table
mettre   to put
  se mettre à   to begin to, start to
  se mettre à table   to sit down to eat;
   to take one's place at the table
  se mettre d'accord   to reach an agreement
  se mettre en colère   to become angry
midi *m*   midday, noon
le mien, la mienne   mine
mieux   better
milieu *m*   surroundings; middle; milieu
militaire   military
mille *m*   thousand
milliard *m*   billion
millier *m*   about a thousand
million *m*   million

minimum *m*   minimum
   minimum vital *m*   basic minimum
ministre *m*   minister
minute *f*   minute
   la minute de vérité   the moment of
     truth
miracle *m*   miracle
mis (*pp of* mettre): elle a mis   she put
mixture *f*   mixture
Mlle *f*   (*abbr of* Mademoiselle)   Miss
Mme *f*   (*abbr of* Madame)   Mrs.,
   madam
mode: à la mode   fashionable
modèle *m*   model
modéré (*pp of* modérer)   moderated
moderne   modern
modernité *f*   modernity
mœurs *f pl*   morals, mores
moi   I, me
moi-même   myself
moins   less
   au moins   at least
mois *m*   month
moitié *f*   half
moment *m*   moment
   au moment de   at the time of; just as
     you're about to . . .
   un mauvais moment à passer   a bad
     time which must be endured
monarchie *f*   monarchy
monarque *m*   monarch
monde *m*   world; people; crowd
   tout le monde   everyone
monnaie *f*   money; change
monopole *m*   monopoly
monsieur *m*   Mr., Sir
montagne *f*   mountain
monter   to climb, go up; to get in (a
   car, train, etc.)
montera (*fut of* monter): on montera les
   voitures   the cars will be placed
montes (monter): tu montes   you
   mount, climb
montrer   to show
monument *m*   monument, memorial;
   historical building
se moquer de   to make fun of
morceau *m*   piece, morsel
mordu (*pp of* mordre): il a mordu   he
   bit
mort *f*   death

mort (*pp of* mourir): il est mort   he
   died
   ils sont morts   they died
mot *m*   word
mourir   to die
moyenne *f*   average, mean
   en moyenne   on the average
musée *m*   museum
musical   musical
musique *f*   music
mystère *m*   mystery
mystérieux   mysterious

n

natation *f*   swimming
nation *f*   nation
national   national
nationalité *f*   nationality
nature *f*   nature
naturel   natural, unaffected
naturellement   naturally
navigation *f*   navigation
naviguent (naviguer): ils naviguent
   they navigate
né (*pp of* naître): il est né   he was born
ne   not
   ne... jamais   never
   ne... ni... ni   neither . . . nor
   ne... pas   not
   ne... personne   no one
   ne... plus   no more, no longer
   ne... que   only; nothing but; not until
   il n'a qu'à demander   he need only
     ask
   ne... rien   nothing
   n'est-ce pas?   isn't that so? right?
nécessaire   necessary
nécessité *f*   necessity
nécessitera (*fut of* nécessiter)   will
   require
négligeable   negligible
négligeons (négliger): nous négligeons
   we neglect
net, nette   clear, plain; clean
nettoyer   to clean
neuf   nine
neuf, neuve   new
ni... ni   neither . . . nor
noble   noble; stately

noblesse *f* nobility
Noël *m* Christmas
noir black
nom *m* name
nombre *m* number
nombreux numerous
nommer to name, appoint
non no
non-mariée unmarried
nord *m* north
notation *f* notation
note *f* grade
noter to notice
notion *f* notion, idea
notre our
les nôtres ours
nourriture *f* food
nouveau, nouvelle new
  de nouveau again
Nouvelle Angleterre *f* New England
nouvelles *f pl* news
novembre *m* November
nuit *f* night
nylon *m* nylon

o

objet *m* object, thing
obliger to oblige
observation *f* observation
observé (*pp of* observer) observed
obstiné obstinate; persistent
obtient (obtenir): il obtient he gets,
  obtains
occasion *f* opportunity
occupation *f* occupation
occuper to occupy; to take possession of
s'occuper de to take care of, pay
  attention to
octobre *m* October
odeur *f* odor, smell
œuvre *f* work
officiel official
officier *m* officer
offre *f* offer
offre (offrir): ville qui offre town
  which offers
  le garçon lui offre the boy treats her
  to
offrent (offrir): ils offrent they offer

on one, they, somebody
oncle *m* uncle
ont (avoir): ils ont they have
  qui ont plus de 64 ans over 64
onze eleven
opération *f* operation
opinion *f* opinion
optimiste optimistic
or *m* gold
oralement orally
orange *f* orange
orchidée *f* orchid
ordinaire ordinary
ordre *m* order
organiser to organize
orientation *f* direction, positioning
original original
origine *f* origin, beginning
orthodoxe orthodox
ou or
  ou... ou either . . . or
  ou bien... ou bien either . . . or
où where; when, that
oublier to forget
ouest *m* west
oui yes
ouvert (*pp of* ouvrir) opened
ouvre (ouvrir): il ouvre he opens
ouvrez (ouvrir): vous ouvrez you open
ouvrier *m* worker
ouvrir to open

p

page *f* page
paie *f* wages
  jour de paie *m* payday
paiement *m* payment
pain *m* bread
pâle pale
panique *f* panic
pantalon *m* trousers
papa *m* papa, dad
pape *m* pope
papier *m* paper; document
paquet *m* package
par by; per
  par an per year
  par jour each day
  par personne per person

paragraphe m   paragraph
parc m   park
parce que   because
pardon m   pardon, forgiveness
parents m pl   parents; relatives
paresseux   lazy
parfois   sometimes
parfum m   perfume
parfumé (*pp of* **parfumer**)   perfumed
se parfumer   to perfume oneself, wear
    perfume
parking m   parking
parlé (*pp of* **parler**): nous en avons
    parlé   we have spoken about it
parlement m   legislative assembly
parler   to speak
   N'en parlez pas!   Don't even mention
   it!
part f   part, portion
part (**partir**): il part   he leaves
partent (**partir**): ils partent   they are
   leaving
partez (**partir**): vous partez   you leave
parti m   party; side; choice
parti (*pp of* **partir**): il est parti   he left
participe m   participle
particulier, -ière   private
particulièrement   particularly
partie f   part
partir   to start; to leave
partout   everywhere
paru (*pp of* **paraître**)   which appeared
pas   not
   de ne pas   not to
   ne... pas   not
   « pas comme les autres »   unlike the
   rest
   pas du tout   not at all
passage m   passage
passé m   past; past tense
passé (*pp of* **passer**)   spent; past
passeport m   passport
passer   to pass; to spend time; to take
   (exam)
   se passer   to take place
passif   passive
passion f   passion, craze
se passionner pour   to be passionately
   interested in
patience f   patience
   la patience faite homme   patience
   personified

patriarche m   patriarch
patriote m *and* f   patriot
patronne f   patron saint
pauvre   poor
payant (*pres par of* **payer**)   paying
payer   to pay for
pays m   country
peine f: faire de la peine à quelqu'un
   to hurt someone's feelings
peint (*pp of* **peindre**)   painted
peintre m   painter
pendant   during
pensait (**penser**): il pensait   he thought
pensant (*pres par of* **penser**)   thinking
pensée f   thought
penser   to think
perd (**perdre**): il perd   he is losing
perdre   to lose
perdu (*pp of* **perdre**): d'avoir perdu
   to have lost
   ils ont perdu leur temps   they wasted
   their time
père m   father
période f   period
permet (**permettre**): cela vous permet
   that permits you
permettez (*imp of* **permettre**):
   permettez-moi   permit me!
permettra (*fut of* **permettre**): il
   permettra   it will permit
permettrait (*cond of* **permettre**): qui lui
   permettrait   which would permit
   him
permettre   to allow, permit
permis (*pp of* **permettre**)   allowed,
   permitted
permission f   permission
personne f   person
personnel   personal
persuader   to persuade, convince
peser   to weigh
pessimiste   pessimistic
petit(e)   small, little
   tout petit   tiny
peu m   little; few
   un peu plus   a little more
peur f   fear
   avoir peur de   to be afraid of
peut (**pouvoir**): il peut   he can
peut-être   perhaps, maybe
peuvent (**pouvoir**): ils peuvent   they
   are able to; they may

peux (**pouvoir**)**: je ne peux pas**   I cannot

peux (**pouvoir**)**: tu peux**   you can

phénomène *m*   phenomenon

photo *f*   photograph

photographe *m*   photographer

photographier   to photograph

phrase *f*   sentence

physique   physical

pièce *f*   piece

  pièce d'identité   identification paper

  pièce de monnaie   coin

pied *m*   foot

pierre *f*   stone

pilote *m*   pilot

  femme-pilote *f*   lady pilot

pionnier *m*   pioneer

pipe *f*   pipe

pique-niquer   to picnic

pittoresque   picturesque

place *f*   place, position; space; reservation

placer   to put

plaisanter   to joke

plaisanterie *f*   joke

plaisir *m*   pleasure

plaît (**plaire**)**: elle ne plaît pas**   she doesn't please

plastique *f*   plastic

plat   flat

plein   full

pluie *f*   rain

plupart *f*: **la plupart**   most

plus   most, more

  plus de... que de...   more . . . than . . .

  de plus en plus   more and more

plusieurs   several

plutôt   rather

poche *f*   pocket

poésie *f*   poetry

poète *m*   poet

point *m*   point

Poissons *m pl*   Pisces

police *f*   police

politesse *f*   politeness, manners

politique   political

politique *f*   politics

polyéthylène *m*   polyethylene, lightweight translucent plastic

pont *m*   bridge

populaire   popular

population *f*   population

port *m*   port, harbor

porte *f*   door

porter   to wear; to carry

portent (**porter**)**: elles portent**   they wear

portera (*fut of* **porter**)**: elle portera**   she will wear

portière *f*   car door

poser   to set; to put down

  poser une question   to ask a question

positif, -ive   positive

position *f*   position

posséder   to possess

possibilité *f*   possibility

possible   possible

postal   postal

pot *m*   pot; jar, can

poudre à canon *f*   gunpowder

poudrerie *f*   gunpowder factory

pour   for; in order to

  pour la porter ensuite   and then take it

  pour que   so that, in order that

pourcentage *m*   percentage

pourquoi   why

pourra (*fut of* **pouvoir**)**: on pourra**   one will be able to

pourrait (**pouvoir**)**: elle pourrait**   she would be able to

pourrez (*fut of* **pouvoir**)**: vous pourrez**   you will be able to

pourront (*fut of* **pouvoir**)**: ils pourront**   they will be able to

poursuivi (*pp of* **poursuivre**)   pursued

pourtant   yet, however

pouvait (**pouvoir**)**: il pouvait**   he was able to; he could

pouvez (**pouvoir**)**: pouvez-vous?**   can you?, are you able to?

pouviez (**pouvoir**)**: si vous pouviez**   if you could

pouvoir *m*   power

  pouvoir d'achat   purchasing power

pouvoir   to be able to

pratique *f*   practice, habit

pratique   practical

pratiquer   to practise; to exercise

  pratiquer le sport   to take part in sports

précédé (*pp of* **précéder**)   preceded

précieux, -ieuse   precious, valuable

précis   precise, exact

préférable   preferable

préférence *f*   preference
préférer   to prefer
préférerait (*cond of* préférer) : il
   préférerait   he would prefer
préhistoire *f*   prehistoric age
premier, -ière   first
Premier Ministre   Prime Minister
prenant (*pres par of* prendre) : en
   prenant   while taking
prend (prendre) : on prend   one takes
prendre   to take
   prendre une décision   to make a
      decision
prenez (prendre) : vous prenez   you are
   taking
prennent (prendre) : ils prennent   they
   take
prenons (prendre) : nous prenons   we
   take
préparer   to prepare, arrange; to study
   for
   se préparer   to prepare oneself, get
      ready
   la Révolution se prépare   the
      Revolution is in the offing
près   near
   à peu près   about, approximately
présent   present
présent *m*   present
   à présent   presently
se présenter   to appear
préserver   to preserve
président *m*   president
presque   almost
presse *f*   press
prêt   ready
prière *f*   prayer
prince *m*   prince
principal   principal, main
printemps *m*   springtime
pris (*pp of* prendre) : il a pris   he took
prise *f*   capture, seizure
prison *f*   prison
prisonnier *m*   prisoner
privé   private
privilégié   privileged
prix *m*   price
   au prix fort   at a high price
probablement   probably
problème *m*   problem
prochain   next
production *f*   production

produit *m*   product
professeur *m*   teacher
profession *f*   profession
professionnel   professional
profiter   to profit
profond   deep; vast
programme *m*   program
progrès *m*   progress, advancement
progresser   to progress
progression *f*   increase, improvement
progressivement   progressively
projectile *m*   projectile
promenade *f*   walk
   faire une promenade   to take a walk
promener   to take for a walk
   se promener   to take a walk
proportion *f*   proportion
proposé (*pp of* proposer) : il a été
   proposé   it was proposed
proposer   to propose, offer
proposition *f*   proposition
propre   clean; neat
protection *f*   protection
protéger   to protect
protester   to protest
prouver   to prove
provincial   provincial
prudent   prudent, careful
psychologique   psychological
pu (*pp of* pouvoir) : j'ai pu   I was able
   to
public *m*   public; audience
public   public
publicité *f*   advertising
publié (*pp of* publier)   published
publier   to publish
puis   then, next
   et puis   then, too . . .
puissant   powerful; wealthy
puni (*pp of* punir)   punished
Puritain *m*   Puritan
pyjama *m*   pyjamas

q

qualité *f*   quality
quand   when
quantité *f*   quantity
quarante   forty
quarante-cinq   forty-five

quartier *m*   quarter, district, neighborhood

quatre   four

quatre-vingts   eighty

quatrième   fourth

que   that; than; how; as; what
  qu'est-ce que   what

quel, quelle   what, which

quelque   some; any
  quelque chose   something
  quelqu'un   someone, somebody; anyone, anybody
  quelques-uns   some people

quelquefois   sometimes

question *f*   question
  il était question de   it was a matter of

questionner   to question

qui   who; whom; that; which

quinze   fifteen

quitter   to leave

quoi   what
  quoi de plus naturel?   what could be more natural?

r

raconter   to tell, relate

radio *f*   radio

raison *f*   reason, ground
  avec raison   correctly, justly
  avoir raison   to be right

raisonnable   reasonable

ranger   to tidy up

rapide   rapid, fast, swift

rapidement   quickly

rappeler   to recall

rappelez-vous (*imp of* **se rappeler**) remember!

rare   rare, uncommon, unusual

rarement   rarely

réaction *f*   reaction

réagir   to react

réalité *f*   reality

recevoir   to receive

recevons (**recevoir**): **nous recevons**   we receive

recherche *f*   research

reçois (**recevoir**): **je reçois**   I receive

reçoit (**recevoir**): **il reçoit**   he receives

reçoivent (**recevoir**): **ils reçoivent**   they receive

reçu (*pp of* **recevoir**): **il a reçu**   he received

redeviennent (**redevenir**): **ils redeviennent**   they become again

réduction *f*   reduction

réduire   to reduce, diminish

réduit (*pp of* **réduire**): **modèle réduit**   small-scale model

réfléchir   to think over, ponder

réflexion *f*   thought

réfrigérateur *m*   refrigerator

se refroidit (**se refroidir**): **il se refroidit**   it cools off

refuser   to refuse
  on lui refuse   he is refused

regarder   to look at, watch

régiment *m*   regiment

région *f*   region

régional   local, regional

règle *f*   rule

regretter   to regret

régulier   regular

régulièrement   regularly

relatif   relative

relation *f*   relation

religieux   religious

religion *f*   religion

remarquant (*pres par of* **remarquer**): **en remarquant**   remarking

remarquer   to notice, observe, note

remet (**remettre**): **remet en place**   puts back in place

remplacer   to replace

rend (**rendre**): **il rend visite**   he visits

rendent (**rendre**): **ils rendent**   they make; they render

rendez-vous *m*   appointment, date

rendre   to give back, return; to render; to make
  rendre compte   to give an account
  rendre honneur   to honor

rendu (*pp of* **rendre**)   rendered, gave

rentrer   to return

renvoyé (*pp of* **renvoyer**)   sent back

réparez (**réparer**): **vous la réparez**   you repair it

repas *m*   meal

repasser   to take again (exam)
  on fait repasser   one again transfers

répondre   to answer

réponse *f*   answer

reposer   to rest

représenter   to represent
république *f*   republic
réputation *f*   reputation
réserve *f*   game preserve
réserver   to reserve
résidence *f*   residence
résident *m*   resident
résister   to resist
respect *m*   respect
respecter   to respect
responsabilité *f*   responsibility
responsable   responsible
ressembler   to look like, resemble
  se ressembler   to look alike
restaurant *m*   restaurant
rester   to remain
résultat *m*   result
résumé *m*   summary
retard *m*   delay
  en retard   late
retenait (retenir): si le gouvernement ne
  retenait pas   if the government
  didn't withhold
retenu (*pp of* retenir)   withheld
retourné (*pp of* retourner)   returned
retourner   to return
retrouver   to find again, recover,
  recapture
réunion *f*   reunion
réussi (*pp of* réussir)   succeeded
réussir   to succeed
rêve *m*   dream
réveille-matin *m*   alarm-clock
réveiller   to awaken
revendre   to resell, sell back
revenir   to come back
  de le faire revenir sur   to make him
  reconsider
revenu (*pp of* revenir): son avion n'est
  pas revenu   his airplane didn't
  return
rêvé   dreamed of
  l'occasion rêvée   the perfect
  opportunity
rêver   to dream
revient (revenir): il revient   he returns
révolution *f*   revolution
révolutionnaire *m*   revolutionary
revue *f*   magazine
rhinocéros *m*   rhinoceros
rhumatisme *m*   rheumatism
riche   rich

richesse *f*   wealth
ridicule   ridiculous
ridiculiser   to ridicule
rien   nothing
risque *m*   risk, danger
rit (rire): il ne rit jamais   he never
  laughs
rite *m*   rite, ceremony
roi *m*   king
rôle *m*   role, part
romain   Roman
romantique   romantic
rompre   to break; to break off
roulais (rouler): je roulais   I was rolling
  along, I was driving
route *f*   road
  en route   on the way
rue *f*   street
rugby *m*   rugby
ruiné (*pp of* ruiner)   ruined
rural   rural
Russe *m*   (a) Russian
russe   Russian
Russie *f*   Russia

S

sac *m*   purse
Sagittaire *m*   Sagittarius
safari *m*   safari
saint *m*   saint
saisir   to seize
saison *f*   season
sait (savoir): il ne sait pas   he doesn't
  know
  il sait écrire   he knows how to write
  on sait   we know
salaire *m*   salary
salle *f*   room
  salle à manger *f*   dining room
  salle de bains *f*   bathroom
  salle de jeux *f*   playroom
sans (que)   without
santé *f*   health
satisfaction *f*   satisfaction
satisfaire   to satisfy
sauvage   savage, wild
sauver   to save
savait (savoir): il savait   he knew
savent (savoir): ils ne savent pas   they
  don't know

savez (savoir): vous savez   you know
savoir   to know
savon *m*   soap
savons (savoir): nous savons   we know
scène *f*   scene; stage
   vous faites une scène à   you bawl out
science *f*   science
Scorpion *m*   Scorpio
scout *m*   scout
second   second; another
secondaire   secondary
section *f*   section, division
Sécurité sociale *f*   Social Security
seize   sixteen
selon   according to
semaine *f*   week
sembler   to seem
sens *m*   sense; direction
   sens de l'humour   sense of humor
sensibilité *f*   sensibility, feeling
sensible   sensitive; susceptible
sensualité *f*   sensuality
sent (sentir): elle sent   she smells
sentent (sentir): ils sentent bon   they
   smell good
sentez (se sentir): vous sentez-vous?
   do you feel?
sentiment *m*   sentiment
sentimental   sentimental
sentimentalité *f*   sentimentality
sentirez (*fut of* se sentir): vous vous
   sentirez   you will feel
séparation *f*   separation
séparer   to separate
sept   seven
septembre *m*   September
sera (*fut of* être): la France sera
   France will be
seraient (*cond of* être): ils seraient
   they would be
serait (*cond of* être): il serait   it would
   be
sergent *m*   sergeant
série *f*   series
sérieusement   seriously
sérieux, -euse   serious
   prendre au sérieux   to take seriously
seront (*fut of* être): ils seront   they will
   be
sert (servir): il sert   he serves
se sert (se servir): on se sert de savon
   one uses soap

servait (servir): il servait   it served
servent (servir): ils servent   they serve
servez (se servir): vous vous servez
   you use
servi (*pp of* servir): il a servi   he served
service *m*   service
servir   to serve
seul   alone, only
   les seuls   the only ones
seulement   only; even
sévère   strict
sévèrement   severely
sévérité *f*   strictness; austerity
sexe *m*   sex
sexuel   sexual
si   if
si   so, so much
siècle *m*   century
signaler   to indicate
signe *m*   sign
signifier   to signify, mean
silence *m*   silence, quiet
Simca *f*   a French car
   chez Simca   at the Simca plant
similaire   similar
simple   simple
simplement   simply
sirène *f*   siren
site *m*   site, location
situation *f*   situation; predicament,
   plight
six   six
ski *m*   ski
sobriété *f*   sobriety
sociable   sociable
social   social
société *f*   society
soda *m*   soft drink
sœur *f*   sister
sofa *m*   sofa
soi   oneself
soir *m*   evening
soirée *f*   evening; evening party
soixante   sixty
soixante-cinq   sixty-five
soldat *m*   soldier
soleil *m*   sun
solitude *f*   solitude
solliciter   to solicit, court
solstice *m*   solstice, when the sun is
   farthest north or south of the
   equator

solution f   solution
somme f   sum; amount
sommes (être): nous sommes   we are
son   his, her, its
sondage m   poll
sonner   to ring
sont (être): ce sont   they are
soporifique   sleep-inducing
sort (sortir): on sort   one goes out, comes out
sortait (sortir): il sortait de la ville   he went out of the city
sorte f   kind, type
sortent (sortir): ils sortent   they get out
sorti (*pp of* **sortir**): **je suis sorti**   I went out
sortie f   exit
sortir   to go out; to take out; to get out (of a car, etc.)
sortira (*fut of* **sortir**)   will emerge
   on sortira   we'll go out
soupe f   soup
source f   source
sourire m   smile
sous   under
   sous-développement m   under-development
   sous-lieutenant m   officer of a grade immediately below lieutenant
souterrain   underground
souvenir m   memory
se souvenir (de)   to remember
souvent   often
souviens (se souvenir): je me souviens (de)   I remember
spécial   special
spécialiste m   specialist
spécialité f   specialty
spécifiquement   specifically
spectateur m   spectator
sport m   sport
sportif   sporting, sports-loving
station f: **station terminale**   terminus
statue f   statue
stérilisé (*pp of* **stériliser**)   sterilized
stratégie f   strategy
stratégiste m   strategist
stupéfait   astounded, stunned
stupide   stupid
style m   style
subir   to submit to, undergo
substance f   substance

substantif m   noun
subterfuge m   evasion, dodge
subtilité f   subtlety
succès m   success
sud m   south
sud-est m   southeast
sud-ouest m   southwest
suffisant   sufficient, enough
suffisent (suffire): ils suffisent   they suffice
suggérer   to suggest
suggestion f   suggestion, hint
suis (être): je suis   I am
suit (suivre): il suit   he follows
suivant   next, following
suivez (*imp of* **suivre**)   follow!
suivi (*pp of* **suivre**)   followed
   le plus suivi   the most popular
sujet m   subject, topic
supérieur   superior
supermarché m   supermarket
supplémentaire   supplementary
suprême   supreme
sur   on
   un sur deux   one out of two
sûr   sure, certain
sûrement   surely
surface f   surface; area
surpris (*pp of* **surprendre**)   surprised
surprise f   surprise
surtout   particularly, especially, above all
surveiller   to watch over, to supervise
suspect m   suspect
suspicion f   suspicion
symbole m   symbol
symboliser   to symbolize
sympathique   sympathetic, nice, likeable
symptôme m   symptom
synonyme m   synonym
synthétique   synthetic
système m   system

t

tabac m   tobacco
table f   table
   à table   at the table, seated around the table
tableau m   painting
tactique f   tactics

talc *m*   talcum powder

talent *m*   talent

tant   so many

   en tant que   as

tante *f*   aunt

tard   late

   plus tard   later

tartine *f*   slice of bread with butter, jam, etc.

Taureau *m*   Taurus

taxi *m*   taxi

te (t')   you, to you

technique *f*   technique

technique   technical

tel, telle   such, like

télégraphe *m*   telegraph

télégraphier   to telegraph

télégraphique   by telegraph

téléphone *m*   telephone

téléphoner   to telephone

téléspectateur *m*   television viewer

télévision *f*   television

tellement   so much, so

tempérament *m*   temper, disposition

température *f*   temperature

temps *m*   time

   en même temps   at the same time

ténacité *f*   tenacity; steadfastness

tenant (*pres par of* tenir): en tenant   while holding

tendance *f*   tendency

tenir   to hold

tente *f*   tent

tenu (*pp of* tenir)   held

terminale: station terminale   terminus

terminé (*pp of* terminer)   finished

terrain *m*   ground, site

terre *f*   earth

   par terre   on the ground

terrible   terrible, awful

test *m*   test

testez (*imp of* tester)   test!

tête *f*   head

texte *m*   text

théâtre *m*   theater

thème *m*   topic

théoriquement   theoretically

tic-tac   tick-tock

le tien, la tienne   yours

se tiennent (se tenir): ils se tiennent   they stand

tiens (tenir): je tiens la fourchette   I am holding the fork

tient (tenir): il tient   he holds

timide   timid, shy

tirer   to pull out

toi   you

toilette *f*   washing; dressing; grooming

tomate *f*   tomato

tomber   to fall

torturer   to torture

tôt   early

total   total

totalement   completely

toujours   always

Tour Eiffel *f*   Eiffel Tower

touriste *m*   tourist

tourmentez (se tourmenter): vous ne vous tourmentez pas   you don't worry

tourné (*pp of* tourner): il a tourné le dos   he turned his back

tournure *f*   construction

tous (*m pl of* tout)

   tous les ans   every year

tous   everybody, all of us, all of them

tout *m*   everything

tout   all; every

   tout de suite   at once, immediately

   tout le monde   everyone

   tout le temps   constantly

toute (*f of* tout)

   de toute leur vie   in their whole life

toutes (*f pl of* tout)

   les jeunes filles ont toutes...   all the girls have . . .

toutefois   however

tradition *f*   tradition

   par tradition   traditionally, by tradition

traditionnel   traditional

tragédie *f*   tragedy

train *m*   train

   être en train de   to be in the process of

traité (*pp of* traiter): j'avais traité   I had discussed

tranquille   quiet, calm, still

transatlantique   transatlantic

transformer   to transform

transistor *m*   transistor

transporter   to transport

transposition *f*   change in the order of words

travail *m*   work

travailler   to work

travailleur   hard-working

travaux (*pl of* **travail**)

traversé (*pp of* **traverser**): **après avoir traversé**   after having crossed

traverser   to go through; to cross

treize   thirteen

tremblant (*pres par of* **trembler**): **en tremblant**   trembling

trente   thirty

très   very

trinitrotoluène *m*   TNT

triomphant   triumphant

triomphe *m*   triumph

triompher   to triumph

triste   sad, gloomy

trois   three

troisième   third

trop   too, too much, too many

troublant (*pres par of* **troubler**)   disturbing

trouver   to find
  se trouver   to be; to be located; to find oneself

trouveront (*fut of* **trouver**): **elles trouveront**   they will find

tu   you

tué (*pp of* **tuer**)   killed

tunnel *m*   tunnel

tutoie (**tutoyer**): **on tutoie**   one says « **tu** » and « **toi** » (to someone)

tutoient (**tutoyer**): **ils se tutoient**   they address each other by « **tu** » and « **toi** »

tutoyait (**tutoyer**): **il tutoyait**   he said « **tu** » and « **toi** » (to someone)

tutoyer   to address familiarly, saying « **tu** » and « **toi** »

typique   typical

u

un *m*   one; a, an
  les uns sur les autres   piled on top of each other

uniforme *m*   uniform

union *f*   union

université *f*   university

urgent   urgent

usine *f*   factory, plant

utile   useful

utilisé (*pp of* **utiliser**)   utilized

v

va (**aller**)   goes; is going to
  va être   will be
  ça va mieux   I'm feeling better
  on va danser   they go dancing

vacances *f pl*   vacation

vain   vain, fruitless
  en vain   in vain

vais (**aller**): **je vais**   I go

vaisselle *f*   dishes
  faire la vaisselle   to wash the dishes

valeur *f*   value

valise *f*   suitcase

vallée *f*   valley

vas (**aller**): **Comment vas-tu?**   How are you?

vaut (**valoir**): **il vaut**   it is worth; it is as good as

végétarien *m*   vegetarian

véhémence *f*   vehemence

véhicule *m*   vehicle

veille *f*   eve

venaient (**venir**): **ils venaient**   they came

venait (**venir**): **il venait**   it came, he came

vendait (**vendre**): **il vendait**   he sold

vendeur *m*   salesman

vendre   to sell

vendu (*pp of* **vendre**)   sold

venez de (**venir de**): **vous venez de finir**   you have just finished

vengeance *f*   revenge

venir   to come

venir de   to have just

venu (*pp of* **venir**): **il est venu**   he came

verbe *m*   verb

verifier   to verify

vérité *f*   truth
  en vérité   actually, in reality

verra (*fut of* **voir**): **il la verra**   he will see it

verre *m*   glass

vers   toward
Verseau *m*   Aquarius
veston *m*   jacket
vêtements *m pl*   clothes
vétérinaire *m*   veterinarian
veulent (vouloir): ils veulent   they
  wish, they want
  ils veulent bien   they are willing
veut (vouloir): il veut   he wants
veut dire (vouloir dire): qui veut dire
  which means
veux (vouloir): je veux   I wish, want
viande *f*   meat
victime *f*   victim
victoire *f*   victory
victorieux   victorious
vide   empty
vie *f*   life
vieille *f*   old lady
vieillir   to get older
viendra (*fut of* venir): ce jour viendra
  this day will come
viendront (*fut of* venir): ils viendront
  they will come
viennent (venir): ils viennent   they
  come
vient (venir): il vient   he comes, it
  comes
Vierge *f*   Virgo
vieux (vieil), vieille   old
vif, vive   lively, quick
village *m*   village
ville *f*   town, city
vin *m*   wine
vingt   twenty
violent   violent
violon *m*   violin
violoniste *m or f*   violinist
viril   virile, manly
virilité *f*   virility, manliness
visitant (*pres par of* visiter)   visiting
visite *f*   visit, call
visiter   to visit
visiteur *m*   visitor
vitamine *f*   vitamin
vite   rapid, fast; quickly, rapidly
vivaient (vivre): ils vivaient   they lived
vivent (vivre): ils vivent   they live
vivons (vivre): nous vivons   we live
vivre   to live
vivrez (*fut of* vivre): vous vivrez   you
  will live

vivront (*fut of* vivre): ils vivront   they
  will live
vocabulaire *m*   vocabulary
vodka *m*   vodka
voici   here is
  voici comment   here is how
voient (voir): ils voient   they see
voilà   behold; that's (it)
  voilà plus de 40 ans que   for more
  than 40 years
voir   to see
vois (voir): tu vois   you see
voisin *m*   neighbor
voit (voir): il me voit   he sees me
voiture *f*   car
vol *m*   theft; flight
voler   to steal
voleur *m*   thief
vont (aller): ils vont   they go
voter   to vote
votre   your
le vôtre   yours
voudra (*fut of* vouloir): il voudra   he
  will wish
voudraient (*cond of* vouloir): ils
  voudraient bien   they would like
  very much
voudrais (*cond of* vouloir): je voudrais
  devenir   I would like to become
voudrait (*cond of* vouloir): elle voudrait
  être   she would like to be
voudriez (*cond of* vouloir): voudriez-
  vous visiter?   would you like to
  visit?
voudront (*fut of* vouloir): elles voudront
  they will wish, they will want
voulaient (vouloir): elles voulaient
  they wished, they wanted
voulais (vouloir): je ne voulais pas   I
  didn't want to
voulait (vouloir): il voulait   he wished
voulez (vouloir): vous voulez   you
  want, you wish
voulions (vouloir): nous ne voulions pas
  we didn't wish to
vouloir   to want
  vouloir bien   to be willing
  vouloir dire   to mean
voulons (vouloir): nous voulons   we
  wish
voulu (*pp of* vouloir): j'ai voulu   I
  wished to

vous-même   yourself
voyage *m*   trip
voyager   to travel
voyageur *m*   passenger
voyez (**voir**): **vous voyez**   you see
vrai   true
  à vrai dire   to tell the truth, actually
vraiment   truly, really
vu (*pp of* **voir**): **il a vu**   he saw
vue *f*   view
  vue d'ensemble   overall view

w

whisky *m*   whisky

y

y   there
  il y a   ago; there is, there are
yeux *m pl*   eyes

z

zèbre *m*   zebra
zéro *m*   zero
zodiaque *m*   zodiac
zoo *m*   zoo
zoologique   zoological

PICTURE CREDITS AND COPYRIGHT ACKNOWLEDGMENTS

PAGE

3–5: From *Idoles, Idoles*, by Jeanne Delais; © Éditions Gallimard 1965.

8: Top, left and right, courtesy of Relations extérieures du Château de Thoiry; bottom, Keystone Press Agency, Inc.

9, 10: Courtesy of Relations extérieures du Château de Thoiry.

16, 17: Courtesy of Archives-Cinémonde, Paris.

26: Picture Collection, New York Public Library, Astor, Lenox and Tilden Foundation.

30, 32: Wide World Photos, Inc.

34: French Cultural Services.

38: H. W. Silvester, Rapho-Guillumette Pictures, Inc.

47: Peter Moeschlin, © Atelier SWB, Basel.

58: Courtesy of Bosc.

60: David Seymour, Magnum Photos, Inc.

63: Tim.

65: Harbrace.

68: Pictorial Parade, Inc.

72–73: Courtesy of Publicis, Paris.

78: Jean-Pierre Durel, Paris.

82: Harbrace.

84, 85: Air France Photo.

93: Courtesy of Chanel.

96, 97: Courtesy of E. I. du Pont de Nemours & Co., Inc.

101, 102: Jacques Fellot, courtesy of *Paris-Match*.

104: French Cultural Services.

108: Roger-Viollet, Paris.

112, 113: Top, Presse-Sports, Paris.

113: Bottom, Harbrace.

114: French Cultural Services.

122, 123: Galliphot, Paris.

131: Top, Harbrace map; bottom, French Embassy, Press & Information Division.

132: French Embassy, Press & Information Division.

136: Christian Taillandier, © *L'Express*, Paris.

137: Jean Suquet, Institut Pédagogique National, Paris.

140: Harbrace

145: Roger-Viollet, Paris.

148: French Government Tourist Office.

A 0
B 1
C 2
D 3
E 4
F 5
G 6
H 7
I 8
J 9

185